D1591732

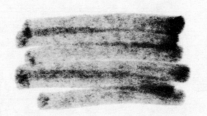

LA COCINA FAMILIAR

EN EL ESTADO DE

TAMAULIPAS

LA COCINA FAMILIAR

EN EL ESTADO DE

TAMAULIPAS

CONACULTA OCEANO

LA COCINA FAMILIAR
EN EL ESTADO DE TAMAULIPAS

~~~~~~~~~~~~~~~~~~~~~~~~~~~

Primera edición: 1988
Banco Nacional de Crédito Rural, S.N.C.
Realizada con la colaboración del Voluntariado Nacional
y de las Promotoras Voluntarias del Banco Nacional de
Crédito Rural, S.N.C.

Segunda edición: 2001
Editorial Océano de México, S.A. de C.V.

Producción:
Editorial Océano de México, S.A. de C.V.

© Consejo Nacional para la Cultura y las Artes

D.R. ©
Editorial Océano de México, S.A. de C.V.
Eugenio Sue 59
Col. Chapultepec Polanco, C.P. 11500
México, D.F.

ISBN
Océano: 970-651-533-X
                970-651-450-3 (Obra completa)
CONACULTA: 970-18-6829-3
                970-18-5544-2 (Obra completa)

Impreso y hecho en México.

LA COCINA FAMILIAR EN EL ESTADO DE

Tamaulipas

DE COCINA Y ALGO MÁS

Presentación

La Comida Familiar Mexicana fue un proyecto de 32 volúmenes que se gestó en la Unidad de Promoción Voluntaria del Banco de Crédito Rural entre 1985 y 1988. Sería imposible mencionar o agradecer aquí a todas las mujeres y hombres del país que contribuyeron con este programa, pero es necesario recordar por lo menos a dos: Patricia Buentello de Gamas y Guadalupe Pérez San Vicente. Esta última escribió en particular el volumen sobre la Ciudad de México como un ensayo teórico sobre la cocina mexicana. Los textos históricos y culinarios, que no las recetas recibidas, varias de ellas firmadas, fueron elaborados por un equipo profesional especialmente contratado para ello y que encabezó Roberto Suárez Argüello.

Posteriormente, hace ya más de seis años, BANRURAL traspasó los derechos de esta obra a favor de CONACULTA con el objeto de poder comercializar el remanente de libros de la primera edición, así como para que se hicieran nuevas ediciones de la misma. Esta ocasión llega ahora al unir esfuerzos CONACULTA con Editorial Océano. El proyecto actual está dirigido tanto a dotar a las bibliotecas públicas de este valioso material, como a su amplia comercialización a un costo accesible. Para ello se ha diseñado una nueva edición que por su carácter sobrio y sencillo ha debido prescindir de algunos anexos de la original, como el del calendario de los principales cultivos del campo mexicano. Se trata, sin duda, de un patrimonio cultural de generaciones que hoy entregamos a la presente al iniciarse el nuevo milenio.

Los Editores

Hace unos 8 000 años la región que corresponde al actual Estado de Tamaulipas estaba poblada por varios grupos, de los que cabe destacar cuatro: los chichimecas, habitantes de la zona entre los ríos Purificación y Bravo; nómadas usualmente pacíficos, dedicados a la caza, pesca y recolección. El segundo grupo ocupó las faldas de la Sierra Madre, era seminómada y, a la llegada de los españoles, presentó fuerte resistencia a los invasores. El tercero, asentado en la sierra tamaulipeca, estaba compuesto por agricultores con una religión estructurada. Finalmente los huastecas, más desarrollados, en la zona sur, primeros en cultivar el algodón –lo exportaban al centro del país –, lograron domesticar animales para su provecho, crear un sistema de presas y canales de irrigación y construir casas y templos sobre terrazas artificiales. En varios puntos de la cuenca del río Pánuco: El Ébano, Tamposoque, Tanchipa y Tanchoy, se encuentran testimonios de su cultura.

La base alimenticia de cada grupo dependió de su grado de desarrollo, pero hubo elementos comunes a todos, como el maíz, frijol, chile y calabaza, así como los animales de caza y pesca que constituían un complemento. Su sistema fundamental de preparación de comidas era el de asarlas o cocerlas en horno de piedras precalentadas; en raras ocasiones se hervían las carnes y la dieta casi no incluía otros vegetales.

La primera expedición española que llegó a la zona del Pánuco fue la de Juan de Grijalva en 1518; el intento fracasó, al igual que el siguiente, encabezado por Francisco de Garay. Poco después, en 1522, Hernán Cortés se trasladó a la región y sometió a Chila, capital de la Huasteca. En la ribera sur del río Pánuco fundó Santiesteban del Puerto, pasó el río y tomó simbólicamente la provincia. Hubo varios intentos posteriores –infructuosos– por conquistar el área, especialmente uno que encabezó el ya mencionado Francisco de Garay, mas cometió tal serie de abusos contra los indios que, rebelados los nativos, dieron muerte a la mayor parte de los exploradores.

Al enterarse Cortés, nuevamente intentó someter a los huastecas y para ello envió al lugar a un grupo de españoles, apoyados por cinco mil tlaxcaltecas y mexicas, a las órdenes de Gonzalo de Sandoval. La expedición arrasó el territorio e impuso la paz. Después hubo varias incursiones más, hacia el norte, que avanzaron con mucha lentitud a causa de los constantes enfrentamientos con los indígenas y las condiciones difíciles del clima y del terreno.

El franciscano Andrés de Olmos arribó a la Huasteca en 1530; en 1544 condujo a un grupo de indígenas olives y fundó la misión que llamó Tamaholipa, "lugar de asentamiento de los olives" (Tam= lugar de Olipa= modificación del vocablo Olive).

En los años siguientes llegaron otros franciscanos. Fueron ellos quienes continuaron las fundaciones, aunque con extremas dificultades. La zona se conocía por entonces como la costa del Señorío Mexicano y era considerada frontera de guerra. Los poquísimos pueblos conquistados se fueron entregando a la encomienda para su evangelización y aprovechamiento de mano de obra, y quedaron adscritos a las alcaldías de Pánuco y Tampico. En cuanto a la penetración hacia el norte de Tamaulipas, sólo pudo realizarse en el siglo XVIII.

La grandeza de la tierra, pródiga en frutos, caza y pesca, rindió al fin el tributo esperado por los recién llegados. Con el arribo del ganado, las misiones se tornaron en un "hago todo": evangelizar, defender el territorio, enseñar y aprender las lenguas, las artes, las ciencias y la gastronomía. Al tiempo que un indio era adoctrinado, enseñaba al fraile sus conocimientos sobre medicina herbolaria, sacrificio de animales y sus secretos culinarios. La sangre, si antes se hervía para conservarla, ahora se preservaba en los intestinos prelavados de la res, y más tarde, frita en manteca de cerdo y sazonada, proporcionaba la moronga, nombre dado por el color moro del guiso. Los huastecas empezaron a conocer la fritanga y, en verdad, les costaba digerirla; los españoles, sin embargo, gustaban ya del chile, el chocolate, el maíz y la calabaza. Durante el siglo VXII, los colonizadores despojaron de sus tierras a casi todos los indios, que pasaron a formar parte de enormes haciendas en las que prosperó la ganadería y la agricultura. Se abrió una ruta comercial hacia Veracruz. Pero, precisamente el que Tamaulipas fuera una de las puertas de la Nueva España, hacía vulnerable la zona ante cualquier intento de expansión por parte de los franceses, asentados en la Luisiana, y de los ingleses, agazapados en el litoral del Caribe y del Golfo de México.

Por otra parte, los misioneros se quejaban ante las autoridades virreinales de que su labor era constantemente obstaculizada por los soldados y que, a causa del aislamiento, eran agredidos con facilidad por grupos indígenas rebeldes y por los apaches. Por eso José de Escandón, capitán general de la Sierra Gorda, obtuvo autorización real en 1742 para iniciar una vasta empresa de colonización. Decidió visitar lo más intrincado de esas tierras, trató de controlar los abusos de ambas partes y fundó once misiones, entre las que destacaron Aguayo, Altamira, Soto La Marina, Reynosa y Laredo. A la nueva provincia se le llamó Nuevo Santander.

Poco a poco el mestizaje se hizo extensivo a los hábitos alimentarios. El maguey rendía ahora un tributo no religioso. De su corteza se hacía el amatl; de la fibra de sus pencas, cordel, hilo y emplastos para heridas, tejas para los techos, y de su seno se extraía el aguamiel y la miel para endulzar atoles, chocolates y tamales. En sus hojas se envolvió la oveja para transformarse en barbacoa; del pulque y el chile de la tierra surgió la salsa borracha y sazonó las buenas tortillas.

En tiempo de calor, el español introdujo la sopa fría –el gazpacho– y en el de frío el buen caldo de gallina o de res, que recién se encontró con los hongos negros. Los huevos dieron cuerpo a las papas, en tortillas suculentas, y el trigo prosperó para hacer el noble pan. El pollo con chorizo o verduras, y en mixiote con carne de cerdo; las carnes asadas o ahumadas, el conejo en chile guajillo y el maravilloso cabrito al horno o adobado, se habrían de convertir al través del tiempo en herencia culinaria.

Se construyeron presas y pequeñas industrias, entre las que destacó el curtido de pieles, con prendas mestizas como las "cueras", con corte español y adornos huastecas, traje regional característico de Tamaulipas hasta la fecha. El comercio con otras provincias se intensificó, y así, en 1766 se fundó San Carlos, en un sitio rico en minerales, punto de comunicación con el Nuevo Reino de León.

En 1811, la lucha por la Independencia la iniciaron en el Nuevo Santander los capitanes Antonio Guerra y Giordano Benavides, de la guarnición de Aguayo, quienes fueron doblegados por el brigadier realista Joaquín Arredondo. Sin embargo, otros insurgentes como José Julián Canales, Juan Bautista Casas, Marcelino García y José Bernardo Gutiérrez de Lara, mantuvieron viva la fuerza libertaria.

El movimiento cobró fuerza en 1817, cuando desembarcó en Soto La Marina el español Xavier Mina, quien en unión del mexicano Fray Servando Teresa de Mier planeó desde Europa una expedición en apoyo a la Independencia de la Nueva España. La digna empresa fracasó y Mina fue fusilado cuando se había internado en Guanajuato, mas su iniciativa sirvió para reavivar la lucha. Las batallas fueron cruentas, pero la propia configuración del territorio ayudó al movimiento. Los habitantes estaban hartos de malos tratos, del sometimiento brutal, del hambre. Las fuerzas insurgentes se incrementaron con hombres y mujeres maltratados por generaciones, indígenas que sabían luchar con lo que tuviesen a mano, piedras, palos; que comían lo que el camino les ofrecía, cocinado de nuevo en comal, molido en metate. La jícara tomó el lugar del pocillo y la tortilla fue plato, cuchara y alimento. Finalmente, la Independencia se juró en Aguayo en julio de 1821.

El gobierno de la provincia quedó en manos de Felipe de la Garza, antiimperialista por verdadero convencimiento, quien en 1822 desconoció a Agustín de Iturbide y luchó por el Federalismo. Al año siguiente, la diputación proclamó la República y, en la Constitución de 1824, se creó el Estado de Tamaulipas con capital en Padilla. En ese año Iturbide desembarcó en Soto La Marina con la idea de recuperar el poder, pero fue hecho prisionero y fusilado.

En 1825, la sede de la entidad se trasladó a Aguayo (Ciudad Victoria) por considerarse un lugar más seguro. Sin embargo, la situación general del país era incierta y la posición geográfica de Tamaulipas, a la entrada del Golfo, afectaba a la entidad en forma singular, al grado de que, en 1829, Isidro Barradas desembarcó en Veracruz al mando de la expedición española de reconquista y ocupó también el puerto de Tampico, aunque la División Tamaulipas lo acosó hasta la rendición.

La pugna desatada entre federalistas y centralistas también llegó a la región, agravando la desazón causada por los continuos ataques de apaches y comanches. Además, por las características de la zona, era urgente reglamentar la colonización, tan necesaria como riesgosa, igual que en la vecina Texas. Durante el conflicto entre los Estados Unidos y México por la posesión de Texas, Tamaulipas permaneció fiel al gobierno central, y cuando en 1848 se dio fin a la invasión norteamericana con el Tratado de Guadalupe-Hidalgo, el estado fue mutilado desde el río Bravo hasta el río Nueces.

Las etapas siguientes fueron de lucha constante entre conservadores y liberales y los tamaulipecos no quedaron fuera de ella: se adhirieron al liberalismo del Plan de Ayutla. Cuando sobrevino la intervención francesa y el Imperio, las batallas de Santa Gertrudis y la caída de Matamoros en manos republicanas, ayudaron al triunfo de Benito Juárez y a la derrota de las fuerzas conservadoras. Sin embargo, la influencia francesa no pasó desapercibida en el campo culinario. Hay que anotar las cremas de queso, espinaca, elote y zanahoria; la ternera con bechamel, las empanadas de atún, jaiba o pescado y los pasteles de carne; bebidas afrancesadas como el ponche de toronja, naranja o de frutas frescas, y los excelentes vinos y licores que se importaron y con los que se traficó libremente en el área.

Tamaulipas conoció la paz por algunos años durante el porfiriato; bajo tal amparo se desarrolló un atractivo comercio internacional que comprendía mercancías norteamericanas y europeas. Inversionistas estadounidenses y aventureros se internaron en la poco poblada y explotada zona fronteriza de México; ahí adquirieron minas e introdujeron nueva tecnología para la extracción de carbón, gas y petróleo. Esta penetración fue facilitada por las leyes emitidas por Porfirio Díaz. Enormes ranchos ganaderos fueron adaptados a la irrigación y se inauguraron los ferrocarriles que unían Monterrey, Matamoros y Nuevo Laredo.

A pesar de ello, el desarrollo industrial era lento; la economía estaba basada en la producción de materias primas, ganado y agricultura. La necesidad hizo que se abrieran edificios públicos, jardines y escuelas. Grandes latifundios como Río Bravo, S.A. y los de Manuel González –tamaulipeco que fue presidente de la República de 1880 a 1884– acaparaban casi todos los beneficios. Algunas sociedades de obreros mutualistas aparecieron con tibieza, pero las condiciones de obreros y campesinos eran pésimas. En 1906 y 1907 estallaron huelgas en puntos tan distantes como Cananea, Sonora, y Río Blanco, Veracruz, que fueron brutalmente reprimidas. El efecto de ellas se dejó sentir en Tamaulipas, lo cual hizo patente el descontento general.

El movimiento contra las muchas reelecciones de Porfirio Díaz surgió con fuerza en 1910, encabezado por Francisco I. Madero y secundado por dos tamaulipecos oriundos de Tula, Francisco y Emilio Vázquez Gómez. A la traición de Victoriano Huerta en 1913, que culminó con el asesinato de Madero, siguieron las luchas entre diversas facciones en todo el país y, concretamente, en la ciudad de Matamoros, cuya situación fronteriza permitía el ingreso de armamentos. Lucio Blanco tomó la ciudad en 1913 y de ahí partieron los hombres y las mujeres que habrían de dominar el norte y luego el centro del país. Blanco hizo, además, el primer reparto de tierras entre campesinos, en la hacienda "Los Borregos", propiedad de Félix Díaz, sobrino del viejo caudillo. Pero la guerra continuó varios años más.

En 1920 se expidió la Constitución estatal, después de la rebelión de Agua Prieta y la caída de Carranza. En esta época gobernó Emilio Portes Gil, quien fundó el Partido Socialista Fronterizo, cuyos estatutos sirvieron de base en la formación del Partido Nacional Revolucionario del 29, antecedente directo del actual Partido Revolucionario Institucional. Los gobernadores siguientes formalizaron el reordenamiento de los predios urbanos y rurales, el reparto de tierras, fundaron la Escuela Normal y la Universidad y propiciaron el desarrollo sociocultural.

La industria petrolera, iniciada por compañías privadas, norteamericanas e inglesas –y rescatada después por el gobierno nacional–, influyó de manera notable en el progreso de la región. Quizá el mejor ejemplo lo da Tampico, sede de numerosas empresas industriales y financieras, así como gran puerto comercial. Hoy, la entidad ha consolidado la infraestructura urbana, de comunicaciones, educativa e industrial, y destacan en ésta las industrias manufactureras y maquiladoras y, sobre todo, las petroquímicas.

En el ámbito festivo y culinario, al tiempo que se baila un huapango en cualquiera de las muchas ferias regionales, se pueden saborear las famosas "dobladas" de queso con carne, las gorditas de manteca, los chilaquiles, enchiladas, los tamales de cazuela o de olla, rellenos de pescado, mariscos o carnes. Si se visita la región de la costa, las jaibas son un imperativo culinario. ¿Cómo las prefiere? Pues las hay, entre otras formas, en chilpachole o en sopa, o la maravilla de la jaiba rellena o en huatape, que también puede ser de camarón o de catán, delicioso pescado, el cual se puede preparar en escabeche, si prefiere usted un platillo en frío.

Con las bolitas de nuez, el budín de coco y el flan de ciruela se puede beber atole de sorgo, de arroz o de mezquite, o un pulque curado, de tuna, al tiempo que el aguardiente regional y los vinos y licores acompañan el asado de puerco, la carne de olla, el conejo en chile rojo, la carne con rajas o la barbacoa tradicional.

La cocina de Tamaulipas se ingenia bien para presentar en la mesa, muchas veces en un solo platillo, los aromas del mar y del trópico, combinando el acuyo, el aguacate, el perejil y el cilantro con el camarón, la jaiba o cualquier otro fruto del mar. Y esa gran síntesis, a la que cabe rendir homenaje, la carne a la tampiqueña, platillo que traspasó ya las fronteras nacionales y que armoniza carne, verdura, salsa y panes del comal.

Por el mismo camino del expansionismo gastronómico, conviene citar la deleitosa y original sangría tampiqueña, que conjunta el jugo de naranja con el de betabel y zanahoria y alguna buena salsa picante. En suma, vale decir que en Tamaulipas la variedad culinaria se extiende casi al infinito. Muchas posibilidades tiene, muchas ofrece y los buenos paladares, como más adelante se verá, encuentran en su cocina milagros y fortuna.

En cinco secciones o apartados se integra el recetario de la cocina familiar de la entidad, puerta y entrada del Golfo de México. Se incluye en ellos una selección de recetas cuyos platillos hablan de la grata mesa íntima, cotidiana, pero también se asoman en muchos guisos a los días de fiesta familiares y a las ferias o festejos de la comunidad. La primera sección, denominada **Masita, tamales y otros antojitos**, es un buen muestrario de las posibilidades del maíz y un fehaciente ejemplo de las riquezas del territorio tamaulipeco. La segunda, **Caldos, sopas y arroces**, no sólo confirma lo ya visto sino que, entre algunos deleitosos caldos y sopas excelentes, lleva a descubrir las riquezas del largo litoral. Y así el tercer apartado, **Mariscos, pescados y verduras**, se convierte en el goce de la comida sencilla, diversa y abundante.

Tamaulipas no es pujante sólo por las henchidas aguas del Golfo, sino que tierra adentro tiene mucho que brindar. Valga la cuarta sección, **Aves y carnes**, para corroborarlo. Las recetas que se proponen son variadas y, las más de ellas, sumamente aprovechables. Se trata de volátiles, porcinos, caprinos y otras especies de ganado menor y mayor. El apartado final, **Panes, galletas, dulces y postres**, bien puede repasarse escuchando los falsetes del huapango tamaulipeco. Y si el trovero canta aquello de…

"El cañal está en su punto,
hoy comienza la molienda;
el trapiche está de duelo
y suspira en cada vuelta…".

¿Qué mejor que también suspirar, dulcemente, en un diluvio de ricas golosinas, nostálgicas, familiares? Y saborear (con perdón) unas buenas gorditas o un niño envuelto o, dicho sea con exactitud, las glorias de la cajeta quemada o del sustancioso arroz con leche.

Masita, tamales y otros Antojitos

MASITA, TAMALES Y OTROS ANTOJITOS

Entrar al recetario de la cocina familiar tamaulipeca es llegar a un variado mundo que da testimonio de las muchas posibilidades de la entidad. La sola lectura de las recetas enseña la diversidad de sus microregiones y la configuración heterogénea de climas y cultivos; se podrá viajar por la extensión de sus costas, por la fertilidad de las tierras huastecas, subir por las estribaciones de la Sierra Madre Oriental o cruzar las desérticas áreas del norte transformadas ahora, gracias al esfuerzo de sus habitantes, en magnífica zona agropecuaria y ganadera.

La raíz indígena en el quehacer culinario es definitiva. Esta selección de recetas lo patentiza así. No resulta sorprendente, pues, ni el abundante empleo del maíz en la cocina tamaulipeca, ni la multiplicidad de carnes, verduras y granos con los que se combina.

Punto de partida en tan grata excursión gastronómica es la receta de uno de los platillos típicos del estado, la famosa masita tamaulipeca, que por otro lado viene a ser una vía corta hacia el sabor del tamal, mundo en el que las artes culinarias del estado pueden competir con los más pintados y sabios herederos de esa vasta, rica y clara sabiduría nacional: siempre igual y siempre distinta, popular, democrática y, a veces –hay que decirlo porque es cierto–, tan distinguida que ni los tamaleros lo creen.

Primero están unos tamales rancheros, cuya flexibilidad permite que se les prepare con carne de puerco o de pollo, con mole o con chile verde y se les envuelva para su cocción en hoja de maíz o de plátano… Los tamales dulces de elote son una auténtica delicia: se piden granos tiernos para darles su punto con azúcar y raspadura de naranja y un poco de harina de arroz que aglutine el elote molido. La receta de los tamales de pescado aprovecha la vecindad del Golfo de México para la obtención del producto fresco, y añade jitomates, chiles verdes y las imprescindibles ramitas de epazote para dar el toque final cociendo el envoltorio en hoja de plátano, cuya humedad produce la suave consistencia de los tamales costeños.

Aparecen luego dos recetas que no se refieren ya a los clásicos tamales individuales, sino a los familiares: de una sola vez, en cazuela, y no en vaporera sino en el horno. Ambas fórmulas piden carne de puerco, aunque la primera la acompaña de chícharos y zanahorias con dos tipos de chile, mientras que la segunda utiliza el chile ancho para dar su gusto exacto a la carne molida en metate.

Se llega después a los antojitos cotidianos, puesto que los tamales –así se coman todos los días- tienen resonancia de festejo. Y el maíz sigue ofreciendo para ellos sus nobles bases.

Abre la serie (y el apetito) la receta de unas deliciosas gorditas de manteca, ideales para el desayuno o la merienda; acompañadas por un rico café de olla, hacen romper el ayuno a un santo. Pero, atención, para hacerlas bien se demanda el uso de dos tipos de manteca, la de cerdo y la de res. Prosigue la fórmula de los bocolitos: parecidos en aspecto a las gorditas, llevan un "bordito", es decir la orilla levantada, y forman de tal modo un recipiente minúsculo que se llena con los deliciosos frijoles huastecos y se espolvorea queso.

Prosiguen los antojos que se cifran en las nobles y flexibles tortillas. El pan de maíz da cuerpo, primero, a unas enchiladas con crema, francamente apetitosas. Cortadas en cuadritos reconfortan después en unos chilaquiles sazonados en chile cascabel y chile ancho. Resultan éstos picosos y restauradores, igual

En el modo de agarrar el taco, se conoce al que es tragón

que el atractivo budín horneado, con sus chiles chipotle, queso y cebollas, que se examina acto seguido. Se utilizan también para la confección de las célebres dobladas, que se rellenan con una mezcla de queso, huevos, tomate verde y cebolla, y luego, en la siguiente receta, las tortillas se presentan en unos ricos taquitos de pulpa de res, aguacate, cebolla y aromático cilantro.

Y si no están en la lista de ingredientes de las dos recetas finales, no se mueva nadie a engaño, no, pues tortillas se requieren para gozarlas. Se trata de dos incitantes oportunidades para los paladares fuertes. La primera es una apetitosa salsa de chicharrón, "durito", que cruje en una salsa de jitomates y chiles poblanos y serranos, mientras que la última revela el secreto de una auténtica salsa viciosa, la cual se emborracha fuertemente, nada menos que con tequila, lo que no tiene por qué hacer que se pierda el tino y se olvide el queso añejo desmoronado.

Masita tamaulipeca

1 k	carne de cerdo
1/4 k	jitomate
1/2 k	masa de maíz
6	chiles serranos
3	dientes de ajo
2	cucharadas de aceite
·	sal, al gusto

- ❦ Freír la carne en trocitos, cubrirla con agua y cocer; cuando se consuma el agua, dorarla en su misma grasa.
- ❦ Licuar los jitomates (asados y pelados) con los chiles y el ajo; mezclar con la masa de maíz.
- ❦ Verter sobre la carne dorada, agregar agua y sal (debe quedar caldosa).
- ❦ Cocinar.
- ❦ Rinde 8 raciones.

Tamales rancheros

1 k	harina de maíz
300 g	manteca de cerdo
300 g	carne de puerco o de pollo
1	hoja santa
·	caldo
·	sal, al gusto
·	mole o chile verde
·	hojas de elote o de plátano

- ❦ Batir manteca hasta que esté blanca y esponjosa; agregar harina de maíz y caldo para formar una masa de consistencia espesa.
- ❦ Continuar batiendo y agregar sal.
- ❦ Calentar el mole, incorporar la carne y la hoja santa molida.
- ❦ Dejar sazonar unos minutos.
- ❦ Colocar sobre cada hoja una cucharada de masa y una de carne con mole; envolver.
- ❦ Cocer a vapor durante veinticinco minutos.
- ❦ Rinde 15 raciones.

Tamales dulces de elote

300 g	margarina
200 g	harina de arroz
10	elotes (tiernos y desgranados)
1	taza de azúcar
4	cucharaditas de raspadura de naranja
2	cucharaditas de polvo para hornear
·	hojas de maíz (para 70 tamales)

- ❦ Lavar y escurrir las hojas de maíz; cortarlas.
- ❦ Derretir margarina, añadir poco a poco azúcar cernida y batir hasta que se esponje.
- ❦ Agregar raspadura de naranja y continuar batiendo; añadir elote molido y revolver.
- ❦ Cernir harina de arroz con polvo para hornear; incorporar a la mezcla de elote, colocar una cucharada de masa en cada hoja; envolver.
- ❦ Acomodar los tamales sobre hojas de maíz (en forma vertical) en una tamalera con agua, cubrirlos con más hojas; tapar.
- ❦ Cocer a fuego lento hasta que los tamales se desprendan de la hoja (una hora aproximadamente).
- ❦ Rinde 20 raciones.

Tamales de pescado

1 k	masa para tortilla
1/4 k	filete de pescado
3	ramitas de epazote
2	cebollas picadas
2	jitomates picados
2	tazas de manteca
·	chiles verdes picados
·	hojas de plátano
·	sal, al gusto
·	aceite

❧ Batir masa, manteca y sal con poca agua; hacer un rollo, envolverlo con un lienzo de manta de cielo y atarlo con un cordón; cocer en agua durante 25 minutos.

❧ Freír cebolla, jitomates y chiles hasta que se sazonen; añadir pescado picado, epazote y sal, dejar cocer.

❧ Asar ligeramente las hojas de plátano y cortarlas en cuadros; colocar en ellos una cucharada de masa cocida y, en el centro, un poco de guisado de pescado.

❧ Envolver los tamales con hojas de plátano y cocerlos a vapor durante veinte minutos.

❧ Rinde 15 raciones.

Tamal de cazuela

1 k	carne de puerco
1 k	masa de maíz
1/2 k	manteca de puerco
2	dientes de ajo
4	chiles anchos
1	cebolla
1/2	taza de chícharos cocidos
1/2	taza de zanahorias
1	cucharada de consomé en polvo
3	cucharaditas de polvo para hornear
·	chiles jalapeños en vinagre
·	manteca
·	sal y pimienta, al gusto

❧ Cocer la carne con sal, ajo y cebolla; desmenuzarla y freírla en un poco de manteca.

❧ Remojar los chiles anchos en agua caliente y licuarlos con pimienta.

❧ Agregar a la carne dorada chiles anchos molidos, rajas de chiles jalapeños, chícharos, zanahorias, un poco de caldo y consomé.

❧ Dejar hervir un poco.

❧ Batir la masa con polvo para hornear y sal; incorporar manteca y un poco de caldo; continuar batiendo hasta obtener una masa espesa.

❧ En un recipiente refractario engrasado, colocar una capa de masa, una de carne guisada y cubrir con una de masa.

❧ Cocer en el horno (200°C), durante una hora y cuarto.

❧ Rinde 15 raciones.

Tamal de puerco en cazuela

1 k	masa de maíz
1/2 k	carne de puerco
1/4 k	manteca de puerco
125 g	chile ancho
1	diente de ajo
·	cominos
·	sal y pimienta, al gusto
·	manteca

❧ Cocer la carne con un poco de agua, ajo, sal, pimienta y comino; molerla en metate con los chiles.

❧ Freírla en manteca de puerco.

❧ Batir la masa con la manteca restante, añadir un poco de caldo y sal; incorporar la carne y mezclar.

❧ Verter en un recipiente refractario engrasado, cocer en el horno (200°C) durante media hora.

❧ Rinde 12 raciones.

Gorditas de manteca

1 k	masa de maíz
125 g	manteca de res
125 g	manteca de puerco
2	aguacates
1	cucharadita de sal
·	frijoles
·	salsa roja

❦ Mezclar la masa con sal y manteca; batir.
❦ Hacer gorditas del tamaño que se desee y cocerlas en comal.
❦ Servirlas con frijoles refritos, aguacate y salsa roja.
❦ Rinde 12 raciones.

Enchiladas con crema

150 g	manteca
50 g	queso añejo
24	tortillas delgadas
4	chiles anchos
2	cebollas
1	diente de ajo
1	huevo
1	lechuga chica
1	manojo de rábanos
1/4	litro de crema
1/4	litro de aceite
·	sal, al gusto

❦ Asar, desvenar y remojar los chiles en agua caliente.
❦ Lavarlos y molerlos con un trozo de cebolla, un diente de ajo y un huevo crudo; mezclar con crema y sal.
❦ Freír la salsa en dos cucharadas de aceite.
❦ Freír ligeramente las tortillas en aceite caliente, pasarlas por la salsa de chile; enrollarlas y acomodarlas en un platón.
❦ Servir con ruedas de cebolla, hojas de lechuga, rábanos en forma de flor y queso añejo desmoronado.
❦ Rinde 8 raciones.

Chilaquiles

200 g	queso blanco
16	tortillas delgadas
5	huevos
3	chiles cascabel
2	chiles anchos
1/2	cebolla
·	aceite
·	sal y pimienta, al gusto

❦ Cortar las tortillas en cuadritos y dorar en aceite caliente.
❦ Añadir los chiles cocidos y molidos y freír unos minutos; incorporar los huevos y envolver suavemente.
❦ Agregar queso cortado en cuadritos (reservar una pequeña cantidad).
❦ Acomodar los chilaquiles en un platón y añadir el resto del queso rallado y cebolla picada finamente.
❦ Hornear durante diez minutos antes de servir.
❦ Rinde 8 raciones.

Budín de tortillas

1/2 k	jitomates
150 g	queso fresco
20	tortillas
4	chiles chipotle en vinagre
3	dientes de ajo
1	cebolla picada
1/4	litro de crema
·	aceite
·	mantequilla
·	sal y pimienta, al gusto

❦ Freír los chiles molidos con los jitomates y ajo en una cucharada de aceite; sazonar con sal y pimienta.

❦ Cuando espesen, sacarlos del fuego y verter la crema; revolver.

❦ Pasar las tortillas por aceite caliente, una por una, luego por la salsa; acomodarlas en un recipiente refractario untado de mantequilla.

❦ Colocar capas sucesivas de tortillas, queso y cebolla (la última debe de ser de queso).

❦ Poner en horno caliente durante quince minutos para que se gratine el queso y servir.

❦ Rinde 8 raciones.

Dobladas

1 k	tortillas
1/4 k	queso rallado
8	huevos
6	chiles serranos
4	tomates verdes
1	cebolla
·	aceite
·	sal y pimienta, al gusto

❦ Batir el queso con los huevos enteros, sal y pimienta.

❦ Freír cebolla, chiles verdes y tomates (cortados en cuadritos); incorporar la mezcla de los huevos y dejar cocer.

❦ Freír ligeramente las tortillas en aceite caliente.

❦ Rellenarlas con la preparación anterior y doblarlas.

❦ Colocarlas en un platón; servir con guacamole y salsa roja o verde.

❦ Rinde 10 raciones.

Taquitos tamaulipecos

300 g	pulpa de res en bisteces
16	tortillas medianas
1	cebolla mediana
2	aguacates medianos
1	rama de cilantro
·	queso
·	aceite
·	sal y pimienta, al gusto

❦ Freír los bisteces en aceite con sal y pimienta; partirlos en cuadritos.

❦ Freír la mitad de cebolla en ese mismo aceite.

❦ Partir el aguacate en tiras largas, picar finito el cilantro y la otra mitad de cebolla; rallar el queso.

❦ Freír las tortillas en aceite caliente, rellenarlas con carne, aguacate, cilantro y cebolla; enrollarlas.

❦ Añadir queso rallado y servir con cebolla frita.

❦ Rinde 8 raciones.

Chicharrón en salsa

1/2 k	chicharrón
4	chiles poblanos
4	chiles serranos asados
3	jitomates asados
1	diente de ajo
1	cebolla
1 1/2	tazas de agua
·	aceite
·	sal y pimienta, al gusto

❧ Acitronar cebolla picada y chiles en rajas, añadir los jitomates licuados con ajo y chiles serranos; sazonar con sal y pimienta y añadir agua.

❧ Dejar hervir y, al final, agregar el chicharrón en trozos pequeños.

❧ Rinde 8 raciones.

Salsa borracha

8	chiles pasilla
1	diente de ajo asado
1	jitomate chico asado
1/2	taza de tequila
4	cucharadas de queso añejo molido
1/2	cucharadita de azúcar
·	sal, al gusto

❧ Desvenar y tostar ligeramente los chiles; remojarlos en agua caliente durante una hora.

❧ Licuar los chiles, jitomate (sin cáscara), ajo, azúcar y sal; agregar el tequila, colocar en una salsera y añadir el queso.

❧ Rinde 10 raciones.

Bocolitos de maíz

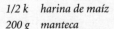

1/2 k	harina de maíz
200 g	manteca
1/2	cucharadita de polvo para hornear
·	frijoles fritos
·	queso rallado
·	sal, al gusto

❧ Mezclar harina de maíz con polvo para hornear; batir con agua tibia hasta formar una pasta trabajable, agregar manteca y sal.

❧ Hacer tortillas gruesas y cocerlas en comal (de preferencia de barro).

❧ Formarles un bordito en la orilla, rellenar con frijoles refritos y añadir queso rallado.

❧ Rinde 6 raciones.

Caldos, Sopas y Arroces

CALDOS, SOPAS Y ARROCES

Este apartado del recetario de la cocina familiar tamaulipeca revela, de nueva cuenta, la riqueza agropecuaria del estado al través de la variedad de caldos y sopas que ofrece esta selección de recetas, atractivos ejemplos de la comida de todos los días y también, de vez en cuando, de los días de gran celebración.

Se inicia con un estupendo caldo de gallina, base de muchas sopas o, por sí mismo, reconfortante principio; la rama de apio y las zanahorias son esenciales, no hay que olvidarlo. El caldo de habas es un recurso notable para las vigilias y si se requiere que las leguminosas se remojen toda una noche, el esfuerzo vale la pena. No se debe prescindir, claro está, de la ramita de hierbabuena y el chorrito de aceite de oliva con el que se sirve el caldo.

La raíz ibérica de la sopa de garbanzo que se examina después parece evidente, ya que al sustancioso platillo hay que añadirle un buen chorizo y, en contra, nada de chile. Siguen varias sopas que aprovechan bien los huertos lugareños. Una sencilla de calabacitas que se enriquece con queso y crema frescos. La de acelgas se corona con queso, precisamente al momento de servirla (para que se empiece a fundir con el calor del caldo), lo que la hace sumamente apetitosa.

La sopa de frijol es excelente, aunque se necesite remojar el grano toda una noche. Debe servirse con pedacitos de pan, dorados en aceite. La sopa de elote es casi una crema, puesto que requiere, a más de los granos tiernos, una taza de leche; el elote va frito en mantequilla y no molido, lo cual da ligereza al caldillo.

En la fórmula siguiente aparecen las tortillas bajo un aspecto inusitado: se les remoja en leche y se las muele con queso y cebolla. Con esta masa se preparan unas bolitas que se fríen y, ahogadas en caldo sazonado, llegan al comensal.

Viene después un par de buenas cremas: la de espinacas es realmente sencilla –en momento de apuros, saca del brete a cualquiera– y luego, herencia trasatlántica, llega una exigente crema de queso que se construye, sin tiempo que perder, con un buen Gruyère al momento de servirse.

Una sopa seca para proseguir. El platillo resulta una guiñada de ojos a los mares mediterráneos. Se trata de una sopa seca de caracolitos, cuyo bautizo habla de ascendencia real, pese a la humildad del asunto, probablemente porque el resultado puede ser digno de reyes.

Toman su lugar los arroces: clave, en su sencillez, de la buena cocina. Uno de ellos se sazona y acompaña con camarones secos; el otro con mostaza, zanahorias, especias y unas ramitas de cilantro. Magníficas maneras de acondicionar el paladar a un guiso mayor.

El apartado finaliza con un auténtico plato de resistencia: original encuentro regional del mole de olla con las tamaulipecas bolitas de masa. El caldo de res es sustancioso y se agregan, además, ejotes, calabacitas… y lentejas. Aquí, cabe apuntarlo, ante mole tal y lentejas así aliñadas, ¿no valdría la pena dar el plantón a un hermano?

¡A darle, que es mole de olla!

Caldo de gallina

1	gallina (en piezas)
2	limones
2	zanahorias
1	diente de ajo
1	pedazo de cebolla
1	rama de apio
2 1/2	litros de agua
·	sal, al gusto

❦ Cocer las piezas de gallina con las verduras, ajo, cebolla y sal.
❦ Dejar cocer.
❦ Servir caliente con jugo de limón.
❦ Rinde 8 raciones.

Caldo de habas secas

300 g	habas secas
3	dientes de ajo
1	cebolla finamente picada
1	jitomate (pelado, molido y colado)
1	ramita de hierbabuena
6	cucharaditas de aceite de oliva
·	sal, al gusto

❦ Remojar las habas durante doce horas y cocerlas con hierbabuena, ajo, cebolla y sal.
❦ Agregar el jitomate frito en dos cucharadas de aceite; dejar sazonar.
❦ Condimentar con sal (deben quedar ligeramente espesas).
❦ Añadir aceite de oliva al servir.
❦ Rinde 8 raciones.

Sopa de garbanzo

300 g	garbanzo
2	dientes de ajo
1	chorizo
1	jitomate asado
1 1/2	litros de caldo de pollo
2	cucharadas de aceite
2	cucharadas de cebolla
·	sal y pimienta, al gusto

❦ Remojar los garbanzos en agua fría doce horas; cocerlos con sal.
❦ Colar y licuar con el caldo.
❦ Freír chorizo en aceite caliente con ajo y cebolla.
❦ Agregar el jitomate asado y picado, los garbanzos molidos y el caldo.
❦ Sazonar al gusto y hervir quince minutos a fuego moderado; colar.
❦ Servir con cubitos de pan frito.
❦ Rinde 6 raciones.

Sopa de calabacitas

1/2 k	calabacitas
100 g	queso fresco
2	chiles serranos picados
1	jitomate picado
1	ramita de epazote
1/2	cebolla picada
1/4	litro de crema
5	tazas de agua
2	cucharadas de aceite
1	cucharada de consomé de pollo (en polvo)

❦ Acitronar la cebolla en aceite, agregar los chiles y el jitomate; sazonar con consomé de pollo.
❦ Incorporar las calabacitas picadas, dejarlas sazonar.
❦ Añadir agua y epazote.
❦ Servir con queso rallado y crema.
❦ Rinde 6 raciones.

Sopa de acelgas

100 g	queso rallado
4	tortillas (en cuadritos dorados)
2	jitomates medianos
1	cebolla chica
2	litros de caldo
2	tazas de acelgas cocidas y picadas
1/2	taza de aceite
1	cucharada de perejil picado
·	sal y pimienta, al gusto

❦ Dorar cuadritos de tortilla en aceite.
❦ Acitronar cebolla en aceite, agregar los jitomates (licuados y colados) y perejil; dejar freír.
❦ Añadir caldo, acelgas y cuadritos de tortilla.
❦ Sazonar con sal y pimienta.
❦ Servir con queso rallado.
❦ Rinde 8 raciones.

Sopa de frijol

200 g	frijoles bayos
2	jitomates molidos y colados
1	diente de ajo
3	cucharadas de aceite
1	pedazo de cebolla
2	cucharadas de cebolla finamente picada
·	cubitos de pan (dorados en aceite)
·	sal y pimienta, al gusto

❦ Remojar los frijoles durante doce horas (en agua fría).
❦ Cocerlos en esa misma agua, agregar cebolla, ajo, sal y una cucharada de aceite (añadir agua caliente en caso necesario).
❦ Dejarlos enfriar, licuar y colar.
❦ Acitronar cebolla picada en aceite caliente; añadir los jitomates, freír y sazonar con sal y pimienta.
❦ Incorporar los frijoles y dejar espesar.
❦ Servir con cubitos de pan dorado.
❦ Rinde 8 raciones.

Sopa de elote

4	elotes tiernos (desgranados)
3	dientes de ajo
1	jitomate maduro
1	ramita de cilantro picado
1/2	cebolla mediana
1 1/4	litros de caldo de pollo
1	taza de leche
1	cucharada de mantequilla
·	sal, al gusto

❦ Freír granos de elote en mantequilla, dejarlos dorar.
❦ Licuar jitomate, cebolla y ajo, colar e incorporar a los elotes.
❦ Añadir cilantro picado, caldo caliente y sal.
❦ Hervir durante veinte minutos, agregar leche y tapar; retirar del fuego y servir.
❦ Rinde 6 raciones.

Sopa de bolitas de tortilla

200 g	jitomate
200 g	queso
150 g	tortilla fría
1	cebolla
6	tazas de caldo de carne
1/2	taza de aceite
3/4	taza de leche
2	cucharadas de cebolla picada
·	sal y pimienta, al gusto

❦ Remojar las tortillas en leche y licuarlas con queso y cebolla.
❦ Hacer bolitas con la pasta y ponerlas a secar.
❦ Dorarlas en aceite caliente.
❦ Freír los jitomates licuados con cebolla y colados.
❦ Al resecar, agregar el caldo.
❦ Sazonar con sal y pimienta y dejar hervir.
❦ Servir el caldo con bolitas de tortilla.
❦ Rinde 6 raciones.

Crema de espinacas

1/2 k	espinacas
1	lata de leche evaporada
5	tazas de agua
2	cucharadas de mantequilla
·	pan en cubitos
·	sal y pimienta, al gusto

❦ Cortar los tallos de las espinacas, lavar y licuar en crudo; colar.
❦ Freír en mantequilla con un poco de agua.
❦ Sazonar con sal y pimienta.
❦ Colocarlas a fuego lento, añadir leche y agua (no debe hervir).
❦ Servir con cubitos de pan frito en mantequilla.
❦ Rinde 6 raciones.

Crema de queso

100 g queso Gruyère rallado
2   litros de caldo de pollo
2   tazas de pan blanco (cortado
       en cuadritos)
6   cucharadas de mantequilla

❤ Hervir el caldo, incorporar poco a poco el pan para que se remoje, escurrirlo.
❤ Colocar el pan en una sopera, cubrir con queso, mantequilla previamente quemada y caldo.
❤ Servir de inmediato para evitar que se cuaje.
❤ Rinde 8 raciones.

Sopa regia

100 g queso rallado
50 g   mantequilla
4   chiles poblanos
1/2   cebolla
1/4   litro de crema
·   sal y pimienta, al gusto
·   pasta de caracolitos

❤ Cocer la pasta en agua hirviendo con sal y cebolla; colar.
❤ Engrasar un recipiente refractario con mantequilla, colocar capas sucesivas de pasta, salsa, queso y trocitos de mantequilla.
❤ Para preparar la salsa, asar los chiles, desvenarlos y licuarlos con crema; sazonar con sal y pimienta.
❤ Hornear a calor moderado.
❤ Rinde 6 raciones.

Arroz con camarones

1   taza de arroz
1   taza de camarones secos
       (pelados)
1   jitomate (asado y pelado)
1   diente de ajo
1   pedazo de cebolla (picada)
2   tazas de agua
1   pizca de pimienta molida
·   aceite
·   sal, al gusto

❤ Remojar y lavar el arroz, freírlo en aceite, revolver constantemente y dejarlo dorar.
❤ Agregar jitomate molido con ajo y cebolla, los camarones (remojados en la misma agua caliente que se usó para el arroz); sazonar con sal y pimienta.
❤ Cocer a fuego lento.
❤ Rinde 6 raciones.

Arroz con mostaza

1	taza de arroz limpio
3	dientes de ajo
2	tomates verdes
2	zanahorias
1/2	cebolla
2 1/4	tazas de agua
1	cucharada de consomé de pollo (en polvo)
1	cucharada de mostaza
1/2	cucharadita de cominos
1/2	cucharadita de pimientas
·	aceite
·	cilantro
·	sal, al gusto

❦ Freír el arroz (limpio, remojado y escurrido) sin que se dore.
❦ Moler comino y pimienta en molcajete.
❦ Licuar tomates, cebolla y ajo, mezclar con las especias molidas.
❦ Incorporar al arroz la mezcla de tomates y especias junto con mostaza, cilantro picado, consomé disuelto en agua caliente y zanahorias picadas en cuadritos.
❦ Sazonar con sal, tapar y dejar hervir a fuego lento.
❦ Rinde 6 raciones.

Mole de olla con lentejas y bolitas de masa

1/4 k	carne de res o pollo
8	calabacitas en trozos
3	chiles anchos (asados y sin semillas)
3	dientes de ajo
2	elotes partidos en trozos
2	litros de agua
1	taza de ejotes picados
1	taza de lentejas limpias
1/4	taza de harina de maíz
1	cucharada de aceite
1	cucharada de sal

❦ Cocer la carne con ajo y sal; a la mitad de la cocción, añadir lentejas, elotes y ejotes.
❦ Remojar los chiles en agua caliente, licuar y verter al caldo.
❦ Mezclar harina, aceite, sal y agua necesaria para formar una pasta.
❦ Formar bolitas y agregarlas al caldo junto con las calabacitas.
❦ Dejar cocer la carne y la verdura.
❦ Rinde 8 raciones.

Mariscos, Pescados y Verduras

MARISCOS, PESCADOS Y VERDURAS

Por más de cien leguas de litoral se extiende la ilustre terraza de Tamaulipas sobre el Golfo de México, lo que produce muy atractivos efectos en su cocina. Mariscos y pescados son deleitoso sustento de la primera parte de esta sección del recetario.

Tres recetas de empanadas inician delicadamente la cuestión. Las empanadas de camarón aprovechan el crustáceo combinado con jitomate, chile verde, cebolla, perejil y aceituna para hacer el relleno y enriquecen la masa de maíz con harina de trigo, plátano macho y camote. Las de atún mezclan el pescado con jitomate y cebolla y lo incorporan a la pasta que, a su vez, es una mezcla de harina de trigo y de maíz, mientras que las empanadas de cazón utilizan sólo el sobrio sabor del maíz para envolver un preparado del pescado, aunque se bañan con una buena salsa de jitomate, cebolla, chile y cilantro.

De elaboración y gusto suave son las croquetas de atún, en las que el pescado se integra a un puré de papas con chícharo y huevos. El mismo atún sirve como relleno, combinado con mayonesa, de unos soberbios rollitos de chile poblano, rápida fórmula a la que le quita bravura y añade gusto al tiempo que la piel de los poblanos pasa sumergida en vinagre.

A los tampiqueños se les suele llamar popularmente "jaibos". Mucho tienen que ver con tal mote las jaibas rellenas que se preparan en la entidad. Ciertamente no es fácil su confección, pero los resultados pueden llegar a las alturas del arte. El asunto es vaciar la carne del carapacho, desmenuzar luego la pulpa del crustáceo y cocinarla con aceitunas, almendras y alcaparras, devolverla a la concha y hornear.

El adobo de huachinango del Golfo –o robalo– con jugo de naranja, horneado, no se queda demasiado atrás. Su sabor es magnífico, e igual se puede afirmar de la receta de pescado en salsa de pan, también para huachinango. En ella el pan frito en aceite de oliva amalgama los aromas de la cebolla, ajo, comino, canela, tomate y jitomate y sirve de base a los trozos de pescado al horno.

Evocaciones mediterráneas traen los calamares al vino tinto –apetitosos, tiernos, sugerentes– y con sones muy mexicanos se recibe el incitante salpicón de cazón. Éste lleva chile ancho, cascabel, piquín o pajarito y, para que el guiso quede cabal, también un chile dulce, o sea un pimiento verde.

De este marinero modo, el lector ha llegado a la sección que se ocupa de los acompañamientos frescos, ensaladas y verduras. A fin de no entrar bruscamente a tierra, sigue la fórmula de la ensalada capitán. Consiste ésta en que las papas, cocidas y picadas en cuadritos, se mezclen con perejil y cebolla, también picaditos, y se adornen con jitomate y aceitunas. Continúan unos berros, "regionales", que piden tocino frito, nuez y piñones. Maravillas del huerto tamaulipeco, rico y variado.

Para los días de calor o simplemente para deleite personal, se presenta la receta de unos aguacates "mexicanos", los cuales se rellenan de chícharos, ejotes y pollo deshebrado, y se aderezan con aceite de oliva y con vinagre de chile chipotle.

Prosigue una tercia de calabacitas, mexicanísimas, buenas y tiernas. Primera carta: las emplea rebanadas y empanizadas; la segunda y tercera las rellenan: una con la pulpa de las propias calabacitas preparada con jamón y jitomate; la otra con un guiso de carne molida, zanahoria, papas, chile verde, tocino y cebolla. Tercia ganadora, para todos los gustos.

¿Nopales? ¿calabacitas? … en las primeras agüitas

Pero en la baza siguiente se muestran buenas cartas. Faltaba más, hay una tercia de nopales. Primera carta: las pencas tiernas son el meollo de una ensalada que las adereza con aceite y vinagre y las mezcla con cebolla, cilantro, orégano, aguacate, chile y queso rallado. La segunda propone asarlas al pastor, rellenas de camarones secos, queso y rajitas de chile. Finalmente, en la tercera carta se enseña a cocinarlas en una salsa de jitomate con garbanzos.

Tras partida tan satisfactoria, en la que los comensales salen ganando, lo pertinente es un cómodo butacón para reposar y quizá, quizá, sintiendo las caricias de la brisa atlántica, entrecerrar un momento los ojos.

Empanadas de camarón

1 k	masa de maíz
300 g	camote (cocido y limpio)
50 g	harina
1/2	plátano macho (cocido y sin cáscara)
1/2	litro de aceite
·	sal, al gusto
	Relleno
1/2 k	camarones crudos
100 g	aceitunas
4	dientes de ajo
2	jitomates
1	cebolla
1	chile verde
1	rama de perejil
2	cucharadas de aceite
·	sal, al gusto

❧ Mezclar el plátano y el camote (molidos) con la masa, harina y sal; agregar agua para obtener una pasta suave y manejable.

❧ Tomar porciones de la pasta (del tamaño de un limón) y hacer con ellas las tortillas; rellenarlas, doblarlas y unirlas para formar las empanadas.

❧ Para preparar el relleno, freír en aceite ajo y cebolla finamente picados, agregar jitomates, perejil, camarones, aceitunas y chiles (picados) y sazonar con sal.

❧ Retirar del fuego cuando los camarones estén cocidos (la salsa no debe quedar seca), dejar enfriar y rellenar las empanadas.

❧ Freírlas en aceite, escurrir y servir.

❧ Rinde 10 raciones.

Empanadas de atún

1/2 k	harina de maíz
1/4 k	harina de trigo
1	lata de atún
1	jitomate picado
1	lechuga
2	cucharadas de cebolla picada
·	chiles verdes picados
·	pimienta, al gusto

❧ Freír en aceite caliente cebolla, chile y pimienta, agregar atún desmenuzado; al resecar, retirar del fuego.

❧ Amasar harina de trigo con harina de maíz, hacer tortillas y rellenarlas con atún.

❧ Doblarlas, cerrar bien la orilla y freírlas en aceite caliente, retirar y escurrir.

❧ Servir con lechuga picada.

❧ Rinde 8 raciones.

Empanadas de cazón

1 k	masa para tortillas
1/2 k	filete de cazón
3	chiles
2	jitomates
1	cebolla
1	ramita de cilantro
·	aceite
·	hojas de epazote
·	sal, al gusto

❧ Freír en aceite los filetes de cazón previamente sazonados con sal; desmenuzar.

❧ Hacer tortillas con la masa y rellenarlas con cazón desmenuzado y hojas de epazote; doblarlas en forma de empanadas.

❧ Freírlas en aceite caliente; retirar y escurrir.

❧ Servirlas calientes con la salsa.

❧ Para prepararla, cocer y licuar los jitomates con los chiles, picar la cebolla; freír en un poco de aceite y agregar cilantro picado y sal.

❧ Rinde 8 raciones.

Croquetas de atún

3	huevos
3	papas medianas
2	limones
1	jitomate
1	lata de atún
1	lechuga
1/2	taza de chícharos cocidos
·	aceite
·	galletas saladas
·	sal y pimienta, al gusto

❦ Cocer las papas, pelarlas y prensarlas para hacer puré; agregar atún desmenuzado, chícharos, los huevos enteros, sal y pimienta.
❦ Mezclar y hacer las croquetas; pasarlas por galletas molidas y freír en aceite caliente.
❦ Servir con lechuga; rebanadas de jitomate y trozos de limón.
❦ Rinde 6 raciones.

Rollitos de atún

8	chiles poblanos asados
1	cebolla grande picada
5	dientes de ajo picados
1	lata de atún
1	limón (el jugo)
1	taza de vinagre blanco
3	cucharadas de mayonesa
1	cucharada de perejil picado
·	lechuga
·	rábanos
·	sal y pimienta, al gusto

❦ Limpiar los chiles, cortarles los extremos y formar rectángulos.
❦ Mezclar cebolla, ajo, sal, pimienta, perejil y vinagre.
❦ Colocar los rectángulos en esta mezcla durante toda la noche (en el refrigerador).
❦ Sacar los chiles del vinagre, escurrirlos y rellenarlos con atún.
❦ Enrollar.
❦ Para preparar el relleno, machacar el atún con un tenedor, añadir mayonesa y limón y mezclar.
❦ Servir con lechuga, rábanos y el vinagre donde se maceraron.
❦ Rinde 8 raciones.

Jaibas rellenas

1/2 k	pulpa de jaiba
20	almendras picadas
10	aceitunas picadas
10	alcaparras picadas
6	conchas de jaiba
2	jitomates picados
1	diente de ajo (picado)
1	trozo de cebolla
·	aceite
·	pan molido
·	perejil picado
·	sal y pimienta, al gusto

❦ Acitronar cebolla en aceite, agregar jitomates, perejil y la pulpa de jaiba; cuando reseque la preparación, añadir ajo, aceitunas, alcaparras y almendras.
❦ Sazonar con sal y pimienta.
❦ Rellenar las conchas de jaiba y añadirles pan molido.
❦ Hornear hasta que se doren.
❦ Rinde 6 raciones.

Tamaulipas

Adobo de pescado

1/2 k	jitomate
8	rebanadas de huachinango
4	chiles anchos
3	dientes de ajo
2	cebollas chicas
2	naranjas (el jugo)
1/2	taza de aceite
1	cucharadita de orégano
1/4	cucharadita de comino
·	sal, al gusto

❧ Condimentar con sal las rebanadas de pescado y freírlas en aceite.

❧ Tostar, desvenar y remojar los chiles, molerlos con los jitomates asados, cebolla, ajo, comino y orégano.

❧ Freír la salsa en el mismo aceite donde se doró el pescado; cuando espese, sazonar con sal y pimienta; retirar y añadir jugo de naranja.

❧ Untar con mantequilla un recipiente refractario, colocar una capa de rebanadas de pescado y cubrir con la salsa.

❧ Tapar con papel aluminio y hornear a 250°C durante veinte minutos.

❧ Rinde 8 raciones.

Pescado en salsa de pan

1 k	huachinango en trozos
4	cominos
2	dientes de ajo
2	tomates asados
1	bolillo rebanado
1	cebolla picada
1	hoja de laurel
1	jitomate asado
1	limón (el jugo y la ralladura)
1	pimiento morrón verde
1	raja de canela
1 1/2	tazas de caldo de res
1/2	taza de aceite de oliva
1/2	cucharadita de orégano
·	papel aluminio
·	sal, al gsuto

❧ Condimentar el pescado con sal, añadir el jugo y la ralladura de limón; dejar reposar durante cinco minutos.

❧ Engrasar un recipiente refractario con aceite de oliva y cubrir con salsa de pan (para prepararla, moler pan, cebolla, ajo, comino, canela, tomate, jitomate, orégano, laurel y sal; añadir el caldo y revolver).

❧ Colocar los trozos de pescado sobre la salsa, cubrir con la salsa restante, aceite, rajas de pimiento morrón y tapar con papel aluminio.

❧ Hornear durante diez minutos, servir con aceitunas y cuadritos de pan dorado en aceite de oliva.

❧ Rinde 8 raciones.

Calamares en vino tinto

1 k	calamares limpios
1/2 k	jitomate
3	cucharadas de perejil
2	dientes de ajo
1	vaso de vino tinto
1/2	cebolla mediana
4	cucharadas de aceite de oliva
·	sal, al gusto

❧ Cocer los calamares con sal y medio vaso de vino tinto, durante media hora; escurrir y picar en trozos pequeños.

❧ Freír en aceite de oliva los jitomates, perejil, ajo y cebolla finamente picados; agregar los calamares y otro medio vaso de vino tinto.

❧ Cocinar cinco minutos y retirar.

❧ Servir con arroz blanco.

❧ Rinde 8 raciones.

Salpicón de cazón

3/4 k	cazón
200 g	chile ancho
100 g	chile cascabel
1	cebolla
1	jitomate asado
1	pimiento morrón verde
1/2	taza de aceitunas
·	aceite
·	chile piquín o pajarito
·	pimienta, al gusto

- ❦ Cocer y desmenuzar el cazón.
- ❦ Asar los chiles y cubrirlos con agua; hervirlos un poco y licuarlos con pimienta.
- ❦ Picar cebolla, pimiento morrón, aceitunas y jitomate, freír en aceite caliente, incorporar el cazón y los chiles.
- ❦ Dejar sazonar, a fuego suave, durante quince minutos; retirar y servir.
- ❦ Rinde 8 raciones.

Ensalada capitán

1 k	papas
6	aceitunas
2	yemas de huevo cocidas
1	cebolla finamente picada
1	jitomate grande
1	lechuga
2	cucharadas de perejil finamente picado
·	sal y pimienta, al gusto
·	aceite y vinagre

- ❦ Pasar por un colador las yemas de huevo y mezclarlas con cebolla y perejil; agregar papas cocidas y picadas en cuadritos; sazonar con sal y pimienta.
- ❦ Colocar la ensalada sobre hojas de lechuga, adornar con tiritas de jitomate y una aceituna en el centro.
- ❦ Rinde 6 raciones.

Berros regionales

1/4 k	tocino
100 g	piñones
50 g	nuez picada
6	manojos de berros
2	limones (el jugo)
1/2	cucharada de salsa inglesa
·	sal, al gusto

- ❦ Lavar los berros y separar el tallo de las hojas.
- ❦ Freír tocino picado (en su propia grasa) hasta que dore.
- ❦ Colocar las hojas de los berros en una ensaladera y agregar tocino frito, piñones, nueces, salsa inglesa y jugo de limón.
- ❦ Mezclar y condimentar con sal al gusto.
- ❦ Rinde 6 raciones.

Calabacitas empanizadas

600 g	calabacitas
1	huevo batido
1/2	taza de pan molido
·	aceite
·	sal y pimienta, al gusto

- ❦ Cortar las calabacitas en rebanadas (a lo largo).
- ❦ Pasarlas por huevo batido y pan molido; sazonar con sal y pimienta.
- ❦ Freírlas en aceite caliente hasta que se doren.
- ❦ Rinde 6 raciones.

Aguacates mexicanos

200 g	chícharos cocidos
200 g	ejotes tiernos (cocidos y picados)
100 g	queso rallado (tipo holandés)
6	aguacates grandes y maduros
1	lechuga orejona (picada)
1	lechuga romanita
1	pechuga de pollo (cocida y deshebrada)
1/4	taza de vinagre de chile chipotle
1	cucharadita de aceite de oliva
·	rábanos y perejil chino
·	sal, al gusto

- ❦ Quitar la cáscara a los aguacates y partirlos a la mitad (a lo largo).
- ❦ Mezclar chícharos, ejotes, pechuga, vinagre, aceite y sal; rellenar las mitades de los aguacates.
- ❦ Servirlos sobre hojas de lechuga y queso rallado, adornar con rábanos cortados en forma de flor y ramitas de perejil chino.
- ❦ Rinde 6 raciones.

Calabacitas rellenas de jamón y queso

50 g	queso
6	calabacitas cocidas
6	rebanadas de jamón (picadas)
2	dientes de ajo picados
1	cebolla picada
1	jitomate picado
1/2	taza de crema
2	cucharadas de aceite

- ❦ Cortar la punta de las calabacitas, reservarlas y extraer la pulpa.
- ❦ Acitronar cebolla y ajo en aceite caliente; agregar jamón, jitomate y sal; freír un poco.
- ❦ Incorporar la pulpa picada de las calabacitas; dejar cocer hasta que la preparación reseque.
- ❦ Rellenar las calabacitas con la mezcla anterior y colocarlas en un recipiente refractario, cubrirlas con queso.
- ❦ Hornear hasta que el queso gratine.
- ❦ Servir con crema.
- ❦ Rinde 6 raciones.

Calabacitas rellenas de carne

1/2 k	carne molida
1/4 k	queso blanco rallado
100 g	tocino
10	calabacitas tiernas
1	chile verde
1	jitomate
1	papa
1	zanahoria
1/2	cebolla
·	ajo
·	mantequilla
·	sal y pimienta, al gusto

- ❦ Cocer las calabacitas con sal y ajo; partirlas a lo largo y quitarles las semillas.
- ❦ Dorar la carne con sal y pimienta.
- ❦ Cortar la zanahoria y la papa en cuadritos pequeños, lo mismo que la cebolla, el chile y el tocino.
- ❦ Mezclar con la carne y dejar dorar; agregar el jitomate licuado y retirar del fuego cuando seque.
- ❦ Rellenar las calabacitas con la preparación anterior, colocarlas en un recipiente refractario, añadirles queso rallado y un trozo de mantequilla.
- ❦ Hornear durante quince minutos aproximadamente.
- ❦ Rinde 10 raciones.

Ensalada de nopalitos

10	nopalitos
2	cebollas medianas
2	jitomates
1	aguacate
3	cucharadas de aceite
2	cucharadas de cilantro picado
2	cucharadas de vinagre
2	cucharadas de queso seco (rallado)
·	chiles en vinagre
·	orégano
·	sal, al gusto

❦ Cocer los nopales y freírlos en un poco de aceite.

❦ Dejarlos enfriar y agregarles aceite, vinagre, sal y una cebolla picada; mezclar bien.

❦ Verter en un platón y cubrir con cilantro y orégano.

❦ Adornar con rebanadas de cebolla, jitomate, tiritas de aguacate, rajas de chile en vinagre y queso rallado.

❦ Rinde 8 raciones.

Nopalitos al pastor

36	camarones secos (limpios)
12	nopalitos
·	queso seco rallado
·	chile en rajas
·	limones
·	sal, al gusto

❦ Abrir a la mitad los nopalitos, por la parte más gruesa.

❦ Rellenarlos con queso rallado, tres camarones y rajas de chile.

❦ Asarlos en comal o a las brasas; voltearlos dos o tres veces, añadir sal, unas gotas de limón y servirlos.

❦ Rinde 6 raciones.

Garbanzos con nopalitos

1 1/2	tazas de garbanzos cocidos
5	nopales cocidos (en cuadritos)
3	chiles serranos
2	dientes de ajo
2	jitomates
1	rama de cilantro
1	trozo de cebolla
1	taza de caldo
3	cucharadas de aceite
1/2	cucharadita de orégano
·	sal, al gusto

❦ Cocer los jitomates y los chiles; licuarlos con ajo y cebolla; freírlos en aceite y agregar orégano.

❦ Añadirles un poco del agua en que se cocieron.

❦ Incorporar los garbanzos con el caldo, añadir cilantro y sal.

❦ Hejar hervir un rato.

❦ Rinde 6 raciones.

Aves y Carnes

A las buenas recetas que ofrece la comida cotidiana tamaulipeca en la cocina del mar, sigue ahora el apartado que muestra el gusto de la entidad por volátiles y cuadrúpedos. Y la cocina familiar, como se podrá ver, hace de ellos un deleite.

Se empieza por aquello que se puede criar en el traspatio, las aves de corral. El pollo en adobo se impregna con chile ancho antes de meterlo al horno, mientras que la gallina en chile de color se cuece en un sabrosísimo recaudo de ajonjolí tostado y especias. Para un rico mole ranchero, la receta local pide el mismo chile ancho de color y también chile cascabel, ajonjolí y semillas de calabaza, galletas saladas y algunas especias; tostar, moler, hervir y servir con arroz. He ahí el secreto.

La carne de conejo es abundante en la región. La preparación de la receta que se incluye demanda chiles anchos –rojos–, jitomates y dos tablillas de chocolate. El conejo se debe cocer con hierbas de olor.

La película de la penca del maguey o mixiote (del náhuatl metl, maguey, y xiotl, membrana) se emplea en la cocina mexicana por sus cualidades térmicas e impermeables. Los mixiotes con pollo y cerdo que se agregan a continuación se cuecen al vapor y, en el envoltorio, la mixtura se aliña con chile pasilla, aceitunas y epazote.

Se ha llegado así a la sección de los guisos basados en la carne de puerco: las fórmulas son diversas y sabrosas. El asado de cerdo resulta, más bien, una fritada en la que la carne se debe dorar en su propia grasa para sazonarla con una salsa de chile cascabel y vinagre. La salsa verde con la que se acompaña el puerco en la siguiente receta se prepara con tomatillos verdes, ajo, orégano y los chiles del tipo que se desee.

Populares en todo el país, los frijoles guisados con carne de puerco se asoman en una buena versión tamaulipeca, así como el apetitoso cortadillo de res y puerco habla del sustrato fundamentalmente norteño de la gastronomía regional. Mas como el estado mira también allende el Atlántico, no debe extrañar la receta de un festivo lomo de cerdo al jerez, fórmula dominguera, preparación delicada con el toque peculiar del pimentón dulce.

Las recetas de ganado menor son igualmente representativas de los mundos culturales que confluyen en el nordeste de la geografía nacional. El carnero a la campesina trasluce su origen centroeuropeo con todo y su paprika; el cabrito en salsa de jitomate es de gusto netamente norteño y la barbacoa de carnero, en mixiote, adobada con chiles chipotle y ancho y servida con una salsa de chile serrano, fórmula bravía, probablemente llegó del altiplano central.

Las reservas naturales protegen la fauna de la zona; es natural y grato encontrar así una receta de caza: el salpicón de venado, regalo finísimo para el paladar y preparación que sabe reconocer los altos méritos de calidad y sabor de la carne del ciervo.

Las recetas finales se dedican al ganado vacuno. Va por delante una agradabilísima lengua de ternera con aceitunas y mostaza, delicada, fina y seguramente de origen europeo, como el cuete mechado con jamón y almendras, impregnado en vino blanco, que se presenta después. Norteños, pero también orientales, son los alambres. La versión es "a la mexicana" y consiste en alternar los trozos de carne con tocino, cebolla, zanahoria y chile poblano. Sigue luego una buenísima carne a la olla: se ahogan unos suaves bisteces en salsa de jitomate y se les acompaña con hierbas de olor.

Ganas tiene el aceite de chirriar ese tocino

La receta de carne picada utiliza papas, chiles poblanos, cebolla y jitomates para freír la picadura de una pulpa jugosa, según se explica, y el apartado se cierra con un cuete empanizado que se prepara en raciones individuales, de manera semejante a la de las consuetudinarias milanesas, aunque con muchísimo más efecto y, además, con una prometedora ensalada de papas.

Pollo en adobo

6	chiles anchos
4	papas medianas (en trozos)
3	dientes de ajo
1	pollo (en piezas)
1 1/2	tazas de vinagre
·	hojas de lechuga
·	papel aluminio
·	rebanadas de cebolla
·	sal, al gusto

❦ Remojar los chiles en vinagre durante media hora y licuarlos con ajo.

❦ Sazonar el pollo con sal y untarle la preparación anterior; dejarlo reposar durante doce horas.

❦ Cocerlo en el horno, después de quince minutos, acomodar las papas alrededor y tapar con papel aluminio; retirar cuando el pollo esté cocido.

❦ Servir con lechuga y rebanadas de cebolla.

❦ Rinde 6 raciones.

Gallina en chile de color

1/4 k	ajonjolí tostado
4	chiles de color (en vaina)
3	dientes de ajo
1	gallina
·	aceite
·	comino, clavo y pimienta

❦ Cocer y desmenuzar la gallina.

❦ Remojar los chiles sin semilla y licuarlos con un poco de agua caliente, comino, ajo, pimienta, clavo y ajonjolí.

❦ Freír la gallina durante quince minutos, agregar el recaudo licuado y hervir quince minutos más, a fuego lento.

❦ Rinde 8 raciones.

Mole ranchero

2	pollos
1/2 k	ajonjolí
1/2 k	chile cascabel
1/4 k	semillas de calabaza
1/4 k	chile ancho
200 g	galletas saladas
5	dientes de ajo
5	clavos de olor
4	pimientas
1	cebolla
·	ajo y cominos

❦ Cocer el pollo con ajo, cebolla y sal.

❦ Tostar las semillas en un comal y moler con el resto de los ingredientes; freírlas en manteca.

❦ Agregar caldo de pollo, dejar hervir quince minutos; incorporar las piezas de pollo, sazonar y dejar hervir diez minutos más.

❦ Servir con arroz.

❦ Rinde 15 raciones.

Conejo en chile rojo

1	conejo (en piezas)
5	dientes de ajo
3	chiles anchos
2	cebollas
2	chiles cascabel
2	jitomates
2	pimientas grandes
2	tablillas de chocolate
	semidulce
·	aceite
·	hierbas de olor

❦ Cocer el conejo con hierbas de olor, una cebolla, dos dientes de ajo y sal; freír en aceite los chiles, una cebolla partida en dos y los dientes de ajo sobrantes.

❦ Disolver el chocolate en media taza de agua caliente.

❦ Remojar los chiles y eliminar las semillas.

❦ Licuar todos los ingredientes: chiles, chocolate, cebolla, pimienta, ajo y jitomates asados.

❦ Freír en aceite e incorporar el conejo, cocer a fuego suave.

❦ Retirar cuando la salsa espese y la carne esté cocida.

❦ Rinde 6 raciones.

Mixiotes de pollo y carne de cerdo

24	mixiotes partidos en cuadros
1 k	carne de cerdo
1	pollo tierno
100 g	chile pasilla
20	aceitunas
6	cebollas grandes
6	jitomates
1	cabeza de ajo
·	epazote
·	sal y pimienta, al gusto

❦ Remojar los mixiotes en agua fría.

❦ Moler el chile pasilla (tostado, desvenado y remojado) con los jitomates y tres dientes de ajo, para hacer la salsa.

❦ Partir el pollo en piezas lo mismo que la carne de puerco; colocar una ración en cada mixiote.

❦ Añadir rebanadas de cebolla, aceitunas, salsa, epazote, sal y pimienta; amarrar el mixiote con un hilo para formar un paquetito (para evitar que se salga la salsa).

❦ Cocer a vapor durante una hora.

❦ Rinde 12 raciones.

Asado de puerco

1 k	carne de puerco
300 g	chiles cascabel (desvenado y limpio)
1	diente de ajo
1/2	taza de vinagre
1	cucharada de cominos

❦ Cortar la carne en trozos y freír en un recipiente de peltre o de barro (dorar la carne en la grasa que suelte).

❦ Moler ajo y comino en molcajete y añadir a la carne (revolver constantemente para que se impregne bien).

❦ Moler los chiles (cocidos) en molcajete con un poco de vinagre y agregarlos a la carne.

❦ Añadir el resto del vinagre y sal; dejar hervir unos minutos.

❦ Rinde 8 raciones.

Carne de puerco en salsa verde

1 k   carne de puerco en trocitos
1/2 k tomate de fresadilla (verde)
3   dientes de ajo
1   pizca de orégano
·   chiles
·   sal, al gusto

❧ Cocer la carne con un poco de agua, agregar sal y tapar; dejar consumir el agua y dorar la carne en su misma grasa (quitar una parte, si es mucha), a fuego suave.
❧ Cocer y licuar los tomates con chile, ajo y orégano molidos; agregar a la carne; dejar hervir un rato y servirla con salsa.
❧ Rinde 8 raciones.

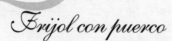

Frijol con puerco

1/2 k carne de cerdo en trozos
1/2 k frijol negro (remojado)
2   cebollas grandes picadas
2   cucharadas de cilantro picado
2   cucharadas de manteca
·   sal, al gusto

❧ Cocer frijoles, carne de cerdo, manteca, sal y agua suficiente.
❧ Retirar de la lumbre cuando el guiso esté cocido y el caldo espeso.
❧ Servir con cebolla y cilantro picados.
❧ Rinde 10 raciones.

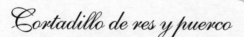

Cortadillo de res y puerco

1 k   pulpa de res
1/2 k carne de puerco
3   jitomates picados
1   cebolla
3   cucharadas de aceite
3   cucharadas de puré de jitomate
·   sal y pimienta, al gusto

❧ Cortar la carne en trocitos y freírlos a fuego lento en una sartén tapada, para que suelten el jugo; agregar aceite para que doren.
❧ Añadir cebolla, sal, pimienta, los jitomates picados y el puré de jitomate con un poco de agua.
❧ Retirar cuando espese y la carne esté cocida.
❧ Rinde 10 raciones.

Lomo al jerez

3/4 k   lomo de puerco
50 g   mantequilla
2   cebollas
1   lechuga
1/4   litro de jerez seco
1/2   litro de agua
2   cucharadas de pimentón dulce
·   sal y pimienta, al gusto
·   aceite y vinagre
·   rábanos

❦ Cocer el lomo en trozos pequeños con cebolla y agua; cuando se consuma, agregar pimentón, jerez, mantequilla y sal.
❦ Hervir a fuego lento hasta que la carne esté suave.
❦ Servir con lechuga sazonada con aceite, vinagre, sal, pimienta y rábanos cortados en flor.
❦ Rinde 6 raciones.

Carnero a la campesina

100 g   mantequilla
1 k   carnero (en piezas)
1/2 k   cebollas grandes
1   litro de caldo
1   cucharada de fécula de maíz
·   sal y paprika, al gusto
·   hierbas de olor

❦ Freír la carne con cebolla rebanada; al tomar color dorado, añadir una taza de caldo con fécula de maíz disuelta, hierbas de olor y paprika.
❦ Agregar cada quince minutos una taza de caldo, dejar hervir una hora y cuarto a fuego suave; agregar sal a media cocción.
❦ Rinde 6 raciones.

Cabrito en salsa de jitomate

1 k   cabrito
3   dientes de ajo picados
3   jitomates picados
1   cebolla picada
1/4   litro de aceite
·   sal y pimienta, al gusto

❦ Cortar el cabrito en trozos pequeños y freírlos.
❦ Agregar ajo, cebolla, jitomates, pimienta molida y sal; dejar resecar.
❦ Hervir con agua suficiente y retirar cuando la carne esté suave.
❦ Rinde 8 raciones.

Barbacoa en mixiote

2 k	carne de carnero (en trozos)
1/2 k	tomates verdes
1/4 k	chiles chipotle
50 g	chile ancho
10	pimientas
6	chiles serranos
6	clavos de olor
4	aguacates
2	cebollas
2	docenas de mixiotes
2	hojas de laurel
1	cabeza de ajo
1	lechuga
1	raja de canela
1	rama de tomillo
1/4	litro de vinagre
1/2	cucharadita de cominos
1	cucharada de manteca
1	cucharadita de orégano
·	sal, al gusto

❦ Lavar y desvenar los chiles (chipotle y ancho), hervirlos en dos tazas de agua y molerlos con ajo, especias, hierbas de olor, sal, una taza del agua en que hirvieron y vinagre.

❦ Adobar la carne cruda con la preparación anterior y colocar porciones en los cuadritos del mixiote.

❦ Formar bolsitas y atarlas con un hilo.

❦ Cocerlas a vapor hasta que la carne esté suave.

❦ Servir con salsa, rajas de aguacate y lechuga.

❦ Para preparar la salsa, cocer los tomates, molerlos con cebolla y chiles serranos asados; freír en manteca y dejar hervir hasta que espese.

❦ Rinde 12 raciones.

Salpicón de venado

1 k	lomo o pulpa de venado
6	limones (el jugo)
4	chiles serranos
4	pimientas gruesas
3	dientes de ajo
3	hojas de laurel
1	cebolla mediana
1	lechuga
·	cilantro
·	rábanos
·	sal, al gusto

❦ Lavar la carne, cocerla con sal, laurel, ajo y pimienta.

❦ Deshebrarla y mezclar con jugo de limón, cilantro, chiles, cebolla (todo picado) y sal.

❦ Servir en frío con lechuga, rábanos y rodajas de limón.

❦ Rinde 6 raciones.

Lengua de ternera con aceitunas

1 k	lengua de ternera
100 g	aceitunas
75 g	mantequilla
3	dientes de ajo
3	jitomates
1	cebolla
2	cucharadas de consomé de pollo en polvo
2	cucharadas de mostaza
·	sal y pimienta, al gusto

❦ Cocer la lengua durante hora y media con el consomé de pollo y sal; enfriar y rebanar.

❦ Acitronar en mantequilla cebolla y ajo (picados) y añadir los jitomates licuados; dejar hervir.

❦ Agregar aceitunas y mostaza, incorporar la lengua y dejar hervir a fuego lento durante media hora.

❦ Rinde 8 raciones.

Cuete empanizado

600 g	cuete
1/2 k	papas
10	pimientas gruesas
3	dientes de ajo
2	huevos
1	cebolla
1	ramita de tomillo
1/8	litro de vinagre
6	cucharadas de pan molido
1	cucharada de perejil picado
·	aceite
·	vinagre
·	limones
·	sal y pimienta, al gusto

❦ Cocer la carne con cebolla, ajo, vinagre, pimientas gruesas, sal y tomillo (en agua suficiente).

❦ Dejarla enfriar y rebanarla; pasar las rebanadas por huevo batido y por pan molido, mezclado con sal y pimienta; freírlas.

❦ Servir con rodajas de limón y ensalada de papas (hecha con papas cocidas, picadas y mezcladas con perejil, aceite, vinagre, sal y pimienta).

❦ Rinde 6 raciones.

Alambre a la mexicana

1 k	carne de res (bola o filete)
150 g	tocino
8	alambres
2	chiles poblanos
2	zanahorias
1	cebolla
·	sal y pimienta, al gusto

❦ Cortar la carne en trozos medianos.

❦ Pelar y rebanar la zanahoria, el chile poblano, cebolla y tocino.

❦ Colocar en cada alambre un trozo de carne, tocino, chile, zanahoria y cebolla; sazonar con sal y pimienta; dejar reposar 25 minutos.

❦ Asar al carbón o en el horno.

❦ Servir con guacamole, pico de gallo y frijoles charros.

❦ Rinde 8 raciones.

Carne de olla

1 k	bisteces suaves
3/4 k	jitomate
1/2	cebolla
3	dientes de ajo
1	cucharada de aceite
·	hierbas de olor
·	sal y pimienta, al gusto
·	clavo y canela

❦ Calentar aceite y freír los bisteces uno por uno; agregar jitomates molidos con cebolla y ajo; al soltar el hervor, añadir sal, hierbas de olor y agua (hasta cubrir la carne).

❦ Tapar la olla y dejar hervir tres cuartos de hora, a fuego suave.

❦ Servir cuando el caldo esté espeso.

❦ Rinde 8 raciones.

Cuete almendrado

3/4 k	cuete limpio
1	cebolla
1	chile
1	taza de vino blanco
1/2	taza de almendras
1/2	taza de jamón cocido
2	cucharadas de harina
2	cucharadas de mantequilla
·	sal y pimienta, al gusto

❦ Mechar el cuete con jamón y almendras.

❦ Enharinarlo y freírlo en mantequilla en una olla de presión; dejarlo dorar.

❦ Moler cebolla con vino, sal y pimienta y agregar a la carne; cocer durante una hora y quince minutos.

❦ Rebanar el cuete y servirlo con la salsa.

❦ Rinde 6 raciones.

Carne picada con rajas

1/2 k	carne jugosa de res (picada)
1/4 k	papas medianas
6	chiles poblanos
3	jitomates grandes
2	cucharadas de manteca
1	cucharada de cebolla picada

❦ Cocer las papas, pelarlas y cortarlas.

❦ Asar los chiles, desvenarlos y cortarlos en rajas.

❦ Freír cebolla en manteca caliente, agregar las rajas y sofreír; incorporar la carne y dejarla freír.

❦ Agregar jitomates molidos y dejar sazonar; añadir las papas (no dejar resecar la carne).

❦ Rinde 6 raciones.

Panes, Galletas, Dulces y Postres

PANES, GALLETAS, DULCES Y POSTRES

Como en todos los demás apartados, el recetario familiar tamaulipeco sabe emplear a fondo su riqueza agrícola en los postres. Una considerable parte de las recetas seleccionadas utiliza el maíz, pero en todas se percibe la sencillez de una cocina íntima, hogareña, aun en la fórmula de ciertos dulces de lujo, homenajes devotos al paladar del festejado o al de los invitados a casa.

Los maicillos mexicanos y los panecitos de harina de maíz están, por explicarlo de algún modo, a la mitad del camino entre el cotidiano bizcocho y el bollo goloso. Mas en ambos, cabe observarlo, el delicado sabor de la gramínea se realza con el uso de la manteca como grasa; en los primeros, además, la canela da su coqueto toque.

Mazorcas tiernas, desgranadas, son la base de las dos siguientes recetas. Una explica la manera de confeccionar unas tortitas de elote con harina, leche y huevos, friendo cucharadas de la mezcla en aceite caliente. La otra aclara los secretos de un budín, en cuyo delicado sabor se suma a los dorados elotes el atractivo del acitrón y las pasitas y el acento de la mexicana vainilla. Sencilla y nutritiva es la receta para preparar las gorditas de sorgo, potente y vitamínico cereal. Y, ya que de gorditas se trata, conviene revisar la fórmula que, con satisfacción, invita a meter manos y amasarlas, combinando queso con masa de maíz,

manteca y piloncillo. Quienes las prueban suelen responder igual: a cada gordita, un piropo.

Los garapachos son unas rosquitas delgadas que se preparan con harina de maíz, huevos, leche y azúcar, en tanto que las galletas de fécula de la misma gramínea requieren yemas, azúcar glass y mantequilla y se adornan con coco rallado o nuez molida, según se prefieran blancas o morenas.

Contra lo que se podría esperar, la zanahoria se hace rosca en la receta que viene a continuación y con ello logra transformarse en un delicioso pan, el cual –como si fuese poco– se redondea aún más con azúcar mascabado, canela, nueces y pasas.

De manzana combinada con nuez es la torta siguiente: se trata de un pastel altamente recomendable, singular. Sigue otro pastel más, igualmente inusual. En la fórmula se pide piña enlatada, brandy, el almíbar de la fruta, pero hay que batir, hornear, refrigerar… y adornar. Un dulce que es una fiesta. Niño envuelto se llama el famoso rollo de fina pasta de harina y huevos, horneado, en cuyo interior se extiende alguna mermelada. La versión que presenta la repostería familiar de la entidad describe bien y hace fácil la técnica de elaboración y, aunque el sabor de la mermelada se deja al gusto de quien confeccione, cabe sugerir como alternativa la de zarzamora o chabacano.

Dime, ¿por qué suspiras
tamaulipeco,
por qué suspiras?
Porque traigo una espina
que me lastima
dentro del pecho.
Traigo una espina,
sólo tú me la quitas
trigueña linda.

El tamulipeco
FELIPE BERMEJO

Ciertos dulces hablan, por sí, de comida casera, pero pueden hacerlo magníficamente. Ahí está el budín de arroz con leche que ofrece el estado. Al añadir coco rallado se incorpora un cálido sabor costeño y no por ello se olvida el crucial encuentro de la canela con la vainilla, y el de unas impertinentes pasas que mejoran todavía la maravillosa combinación.

Terceto milagroso es el que cierra el apartado y termina el recetario. Un deleitoso flan con ralladura de limón, apoyado en un caramelo quemadito de nuez moscada, es el primer acto de magia. El segundo lo constituye una cajeta quemada espléndida, cuyo secreto es –curiosamente– el bicarbonato y cuya clave es la constancia. Y el tercer acto de magia dulce –gran final– es un postre de cacahuates que alternan con galletas, pero cuya sustancia se elabora con crema espesa, leche condensada, yemas, azúcar y vainilla. A tan magnífica mezcla, el mexicano cacao de la tierra o sea el cacahuate, otorga su exacto o irrepetible sabor. Un postre de fortuna. Milagros de Tamaulipas que es milagros y fortuna.

Budín de arroz con leche y coco

2 1/2	tazas de agua
2	tazas de leche evaporada
1	taza de arroz (lavado y remojado)
1	taza de azúcar
1/2	taza de coco rallado
1	cucharada de vainilla
·	canela en polvo
·	pasitas

❦ Hervir agua y agregar el arroz, tapar el recipiente y cocer a fuego lento; agregar la leche y el coco.
❦ Revolver constantemente, reducir la flama y cocinar veinte minutos más; agregar azúcar.
❦ Al ver el fondo del cazo, añadir vainilla y retirar del fuego.
❦ Espolvorear canela y esparcir las pasitas; servir en frío.
❦ Rinde 8 raciones.

Flan

100 g	nuez picada
3	huevos
1/2	limón (la ralladura)
1	taza de leche condensada
1	taza de leche natural
1/3	taza de azúcar
1	cucharada de agua
1	cucharadita de nuez moscada (en polvo)

❦ Preparar caramelo con agua, nuez moscada y azúcar.
❦ Cubrir el fondo de un molde con el caramelo y dejarlo enfriar.
❦ Licuar el resto de los ingredientes.
❦ Verter la mezcla en el molde que tiene caramelo y cubrir con papel aluminio.
❦ Hornear a baño María hasta que cuaje; enfriar y desmoldar.
❦ Rinde 8 raciones.

Cajeta quemada

8	tazas de leche
4	tazas de azúcar
1/2	cucharadita de bicarbonato

❦ Mezclar seis tazas de leche con bicarbonato; poner al fuego y, al soltar el hervor, retirar.
❦ Mezclar dos tazas de leche con azúcar; hervir a fuego bajo hasta que la mezcla empiece a espesar y tome color oscuro.
❦ Agregar la leche con bicarbonato, seguir hirviendo sin dejar de revolver, hasta ver el fondo del cazo.
❦ Dejar enfriar y verter la preparación en un recipiente.
❦ Rinde 10 raciones.

Dulce de cacahuate

400 g	galletas Marías
200 g	mantequilla
4	yemas de huevo
1	lata de leche condensada
1/4	litro de crema espesa
2	tazas de azúcar pulverizada
1	taza de cacahuate molido
1/4	taza de cacahuate picado
1	cucharadita de vainilla

❦ Hervir la leche condensada (sin abrir la lata), durante dos horas.
❦ Batir mantequilla y agregar yemas de huevo, azúcar, vainilla y crema; añadir, poco a poco, cacahuate molido.
❦ Colocar en un recipiente refractario una capa de galletas Marías y una de crema de cacahuate, alternar hasta terminar con crema.
❦ Cubrir con leche condensada y cacahuate picado.
❦ Refrigerar antes de servir.
❦ Rinde 8 raciones.

AUTORES DE LAS RECETAS

Silvia de Acevedo

Rosa María Aguilar de Brito

Marta Alonso de Rodríguez

Teresa Baeza Condori

Eloísa Cantú Mar

Marta Colín Barranco

Magdalena Cruz de Rodríguez

Angélica Cruz Torres

Catalina de León de Charles

Griselda Charles de León

Adriana Flores de Chapa

Josefina García de Ortiz

Luisa Garrido Hernández

Norma Alicia Gómez de Macías

Marisela González Jaimes

María del Carmen González Reyes

María del Refugio C. de Guevara

Andrea Huerta Bueno

Noemí de León Verdines

Lucila Leal Cortés

María Teresa Livera de Santiago

Oralia Martínez Pérez

Macrina Mata Charles

Ramona C. de Mata

Olga D. de Muñoz

María Guadalupe Narvaez Perales

María Salazar de Noriega

Leticia Saldívar Ramírez

Alicia Sánchez Ortiz

Guillermina de Tamez

Guadalupe del Rosario Vargas de Guzmán

Alicia A. de Velasco

María del Carmen Villanueva

María Ester Zertuche A.

Gregorio Castruita Salais

Adolfo Zúñiga Estrada

De Cocina y Algo Más

FESTIVIDADES

LUGAR Y FECHA	CELEBRACIÓN	PLATILLOS REGIONALES
CIUDAD VICTORIA *(Capital del estado)* *Fecha movible* *(depende de la Cuaresma)*	**Carnaval** Carros alegóricos, concursos de disfraces, comparsas, bandas musicales, bailes, danzas y cohetes.	∿ Machaca, carne con rajas, cabrito al horno, dobladas de queso con carne, asado de puerco, moronga, mixiote de carne de cerdo, conejo en chile rojo, frijoles charros, empanadas de carne, adobo de pescado, jaibas rellenas o al natural, enchiladas, tamales de cazuela o de olla, ostiones al horno, sopa de jaiba, sábalo a la parrilla. ∿ Gorditas de cuajada, mermelada de manzana, caramelos de pasas, dulce de papa, postre de mamey, bolitas de nuez, leche de huevo, budín de coco. ∿ Ponche de naranja, aguardiente, pulque curado, atoles de sorgo o mezquite, aguamiel, chocolate, café endulzado con piloncillo, aguas frescas.
ALTAMIRA *Julio 25*	**Santiago Apóstol** Los festejos se prolongan hasta el día 31. Llegan peregrinaciones de creyentes y devotos para participar en las fiestas. Destacan las danzas de los Matachines.	∿ Enchiladas, chile con rajas, taquitos de jamón, tamales de calabaza con camarón, moronga, barbacoa con salsa borracha, machaca, escabeche de pescado, asado de puerco, conejo en chile guajillo, dobladas de queso con carne, gorditas de manteca, tamales de cazuela o de olla rellenos de carne, pescado o mariscos, cabrito en adobo o al horno, frijoles charros. ∿ Buñuelos, manzanas al horno, leche de huevo, crema de limón, dulce de papa, postre de mamey, chabacanos en almíbar, gordas de cuajada, bolitas de nuez. ∿ Licor de cáscara de naranja, pulque curado de tuna, aguamiel, chocolate, atoles, café de olla, aguas frescas y ponches.
CIUDAD MANTE *Abril 27*	**Feria del Azúcar** Se organiza una feria popular en la que se realizan celebraciones diversas: hay música, bailes y fuegos artificiales.	∿ Caldo de gallina y res, pollo con chorizo o verduras, moronga, mixiote con carne de cerdo, machaca, dobladas de queso con carne, frijoles charros, enchiladas, chile con rajas, asado de puerco, barbacoa de guajolote, tamales de cazuela o de olla, aguacates rellenos, jaibas al natural, pescado en adobo, carnes ahumadas o asadas. ∿ Gordas de cuajada, flan de ciruelas, peronate, mermelada de manzana, postre de mamey, crema de limón, caramelos de pasas, bolitas de nuez. ∿ Aguamiel, aguas frescas, café de olla, pulques curados, ponches de frutas frescas, chocolate, champurrado, atole de mezquite o de sorgo.
REYNOSA *Diciembre 12*	**Virgen de Guadalupe** Patrona de la ciudad. Acuden grupos de peregrinos a su templo, para rendirle homenaje en procesiones que se inician el día 5. Diversos grupos de bailarines ejecutan sus danzas con atuendos vistosos, en el atrio de la iglesia.	∿ Carnes asadas o ahumadas, barbacoa de oveja con salsa borracha, frijoles charros, conejo en chile rojo, asado de puerco, moronga, machaca, enchiladas, carne con rajas, taquitos de jamón, cabrito al horno o adobado, huatape de camarón, empanadas de carne roja, jaibas en sopa, rellenas o al natural, dobladas de queso con carne, pollo con chorizo o verduras, gorditas de manteca, escabeche de pescado, camarones con

chayote, tamal de cazuela, chile con rajas, ostiones al horno, adobo de pescado.

~ Bolitas de nuez, postre mamey, crema de limón, manzanas al horno, budín de coco, leche de huevo, caramelos de pasas, pemoles (harina de maíz, queso añejo, manteca de puerco y de res, leche, piloncillo blanco o moreno y un poco de café negro).

~ Agua frescas, aguamiel, chocolate, atoles, pulque curado de tuna, licor de cáscara de naranja, aguardiente, café endulzado con piloncillo.

TAMPICO *Fecha movible* *(depende de la Cuaresma)*	**Carnaval** Se prolonga hasta el martes de Carnaval; desfiles de carrozas decoradas, disfraces, comparsas, bailes de máscaras, bandas musicales, fuegos artificiales.	~ Pescado asado, sábalo a la parrilla, calamares, hueva de lisa, ostiones al horno, empanadas de camarón, sopas de jaiba y de yuca, escabeche de pescado, tamales de calabaza con camarón, adobo de pescado, camarones con chayote, aguacates rellenos, dobladas de queso con carne, carnes asadas o ahumadas, frijoles charros, enchiladas, empanadas rellenas de atún o jaiba, tamales de olla, cazuela de mariscos o pescados, gorditas de manteca, cabrito al horno o adobado, machaca, huatape de camarón, mixiote con carne de cerdo, catán escabechado, conejo en chile rojo. ~ Flan de ciruelas, dulce de papa, manzanas al horno, buñuelos, caramelos de pasas, gordas de cuajada, bolitas de nuez. ~ Ponche de naranja, aguamiel, aguardiente, chocolate, café endulzado con piloncillo, pulque curado de tuna, atole de sorgo y de mezquite, aguas frescas, licor de cáscara de naranja.
TULA *Mayo 3*	**La Santa Cruz** Se ejecutan danzas diversas, entre las que destacan la del Patriarca, la de la Malinche y la del Viejo, interpretadas por conjuntos locales y, en ocasiones, por grupos provenientes de la región huasteca.	~ Machaca, cabrito al horno o adobado, carne con rajas, moronga, pollo con chorizo o verduras, caldo de gallina y res, frijoles charros, gorditas de manteca, asado de puerco, dobladas de queso con carne, mixiote con carne de cerdo, carnes asadas o ahumadas, conejo en chile rojo, empanadas de carne, tamales rellenos de carne, mariscos o pescado, chile con rajas, enchiladas. ~ Dulce de papa, gordas de cuajada, bolitas de nuez, budín de coco, crema de limón, mermelada de manzana, pemoles, peronate, leche de huevo, postre de mamey, chabacanos en almíbar. ~ Café de olla, aguamiel, atoles, chocolate, aguas frescas, ponches, aguardiente.
TULA *Junio 13*	**San Antonio de Padua** Se oficia una misa especial, después de la cual la gente se reúne en el atrio de su iglesia para presenciar las Pastorelas: representaciones cuyos personajes centrales son ángeles, diablos e indios. También se ejecuta la Danza del Patriarca.	~ Enchiladas, taquitos de jamón, pescado asado, sopa de jaiba, aguacates rellenos, barbacoa de oveja con salsa borracha, moronga, asado de puerco, jaibas al natural o rellenas, caldo de gallina y res, conejo en chile guajillo, huatape de camarón, pollo con chorizo o verduras, dobladas de queso con carne, gorditas de manteca, carnes asadas o ahumadas, escabeche de pescado, mixiote con carne de cerdo, adobo de pescado. ~ Bolitas de nuez, buñuelos, flan de ciruelas, dulce de papa, pemoles, postre de mamey, manzanas al horno, caramelos de pasas, crema de limón, leche de huevo. ~ Aguas frescas, café de olla, aguamiel, aguardiente, chocolate y atole de mezquite y de sorgo.

TULA
Julio 16

Virgen del Carmen
Los devotos acuden hasta su templo llevando ofrendas que depositan en el altar; a los pies de la imagen colocan docenas de cirios que iluminan la iglesia. Se ejecutan las danzas de la Malinche, la del Viejo y la del Patriarca.

~ Carnes asadas o ahumadas, barbacoa de guajolote, conejo en chile rojo, enchiladas, gorditas de manteca, machaca, carne con rajas, asado de puerco, adobo de pescado, moronga, sopa de jaiba, pollo con chorizo o verduras, dobladas de queso con carne, tamales de calabaza con camarón, empanadas de carne roja, mixiote con carne de cerdo, frijoles charros, ostiones al horno, tamales de cazuela o de olla, chile con rajas y gorditas de manteca.

~ Budín de coco, buñuelos, peronate, gordas de cuajada, flan de ciruelas, bolitas de nuez, crema de limón, leche de huevo, manzana al horno, dulce de papa.

~ Ponches, aguamiel, pulque curado de tuna, chocolate, aguas frescas, aguardiente, café endulzado con piloncillo y atoles (como el malarrabia con canela y piloncillo, se le agregan plátanos en rebanadas y fritos en manteca).

NUTRIMENTOS Y CALORÍAS

REQUERIMIENTOS DIARIOS DE NUTRIMENTOS (NIÑOS Y JÓVENES)

Nutrimento	Menor de 1 año	1-3 años	3-6 años	6-9 años	9-12 años	12-15 años	15-18 años
Proteínas	2.5 g/k	35 g	55 g	65 g	75 g	75 g	85 g
Grasas	3-4 g/k	34 g	53 g	68 g	80 g	95 g	100 g
Carbohidratos	12-14 g/k	125 g	175 g	225 g	350 g	350 g	450 g
Agua	125-150 ml/k	125 ml/k	125 ml/k	100 ml/k	2-3 litros	2-3 litros	2-3 litros
Calcio	800 mg	1 g	1 g	1 g	1 g	1 g	1 g
Hierro	10-15 mg	15 mg	10 mg	12 mg	15 mg	15 mg	12 mg
Fósforo	1.5 g	1.0 g	1.0 g	1.0 g	1.0 g	1.0 g	0.75 g
Yodo	0.002 mg/k	0.002 mg/k	0.002 mg/k	0.002 mg/k	0.02 mg/k	0.1 mg	0.1 mg
Vitamina A	1500 UI	2000 UI	2500 UI	3500 UI	4500 UI	5000 UI	6000 UI
Vitamina B-1	0.4 mg	0.6 mg	0-8 mg	1.0 mg	1.5 mg	1.5 mg	1.5 mg
Vitamina B-2	0.6 mg	0.9 mg	1.4 mg	1.5 mg	1.8 mg	1.8 mg	1.8 mg
Vitamina C	30 mg	40 mg	50 mg	60 mg	70 mg	80 mg	75 mg
Vitamina D	480 UI	400 UI	400 UI	400 UI	400 UI	400 UI	400 UI

REQUERIMIENTOS DIARIOS DE NUTRIMENTOS (ADULTOS)

Proteínas	1	g/k
Grasas	100	g
Carbohidratos	500	g
Agua	2	litros
Calcio	1	g
Hierro	12	mg
Fósforo	0.75	mg
Yodo	0.1	mg
Vitamina A	6000	UI
Vitamina B-1	1.5	mg
Vitamina B-2	1.8	mg
Vitamina C	75	mg
Vitamina D	400	UI

REQUERIMIENTOS DIARIOS DE CALORÍAS (NIÑOS Y ADULTOS)

		Calorías diarias
Niños	12-14 años	2800 a 3000
	10-12 años	2300 a 2800
	8-10 años	2000 a 2300
	6-8 años	1700 a 2000
	3-6 años	1400 a 1700
	2-3 años	1100 a 1400
	1-2 años	900 a 1100
Adolescentes	Mujer de 14-18 años	2800 a 3000
	Hombres de 14-18 años	3000 a 3400
Mujeres	Trabajo activo	2800 a 3000
	Trabajo doméstico	2600 a 3000
Hombres	Trabajo pesado	3500 a 4500
	Trabajo moderado	3000 a 3500
	Trabajo liviano	2600 a 3000

EQUIVALENCIAS

EQUIVALENCIAS EN MEDIDAS

1	taza de azúcar granulada	250	g
1	taza de azúcar pulverizada	170	g
1	taza de manteca o mantequilla	180	g
1	taza de harina o maizena	120	g
1	taza de pasas o dátiles	150	g
1	taza de nueces	115	g
1	taza de claras	9	claras
1	taza de yemas	14	yemas
1	taza	240	ml

EQUIVALENCIAS EN CUCHARADAS SOPERAS

4	cucharadas de mantequilla sólida	56	g
2	cucharadas de azúcar granulada	25	g
4	cucharadas de harina	30	g
4	cucharadas de café molido	28	g
10	cucharadas de azúcar granulada	125	g
8	cucharadas de azúcar pulverizada	85	g

EQUIVALENCIAS EN MEDIDAS ANTIGUAS

1	cuartillo	2	tazas
1	doble	2	litros
1	onza	28	g
1	libra americana	454	g
1	libra española	460	g
1	pilón	cantidad que se toma con cuatro dedos	

TEMPERATURA DE HORNO EN GRADOS CENTÍGRADOS

Tipo de calor	Grados	Cocimiento
Muy suave	110°	merengues
Suave	170°	pasteles grandes
Moderado	210°	soufflé, galletas
Fuerte	230°-250°	tartaletas, pastelitos
Muy fuerte	250°-300°	hojaldre

TEMPERATURA DE HORNO EN GRADOS FAHRENHEIT

Suave	350°
Moderado	400°
Fuerte	475°
Muy fuerte	550°

Acuyo. (**Hierbasanta, hoja de anís, hoja de Santamaría, momo**). Planta piperácea de la zona cálida intertropical. Se utiliza para envolver tamales, se aprecia como condimento y se le atribuyen propiedades medicinales.

Aguamiel. Savia o jugo de maguey; al fermentarlo se produce el pulque; **aguamiel de caña**, bebida elaborada con agua y caña de azúcar.

Armadillo. Mamífero desdentado de 30 a 50 cm de largo y cubierto por un caparazón de laminillas óseas, negro y flexible, con el que se protege ante el peligro. La carne es comestible y con el caparazón se elaboran artefactos diversos.

Atole (atol). Bebida espesa hecha con maíz cocido y molido, y con frecuencia otros ingredientes, diluido o hervido en agua o leche. Por extensión, cualquier bebida preparada con sustancias harinosas. El **atole de sorgo** y el de **mezquite** se preparan con la harina de los granos y el fruto, respectivamente, de estos vegetales.

Barbacoa. Carne asada en un hoyo que se abre en la tierra y se calienta como horno; parrilla para asar carne o pescado al aire libre.

Berro. Planta crucífera, acuática, de tallo rastrero, hojas glabras y flores blancas. Las hojas se comen como verdura. Es diurética, depurativa y antiescorbútica.

Bocoles . Nombre regional de unas gorditas o tortillas de maíz fritas en manteca y, a veces, aderezadas con frijoles negros, chicharrón o queso.

Calamar. Nombre de diversos cefalópodos decápodos que viven en zonas litorales. Usualmente de 30 a 35 cm de longitud, tiene dos aletas laterales en la extremidad del cuerpo; la carne ligeramente correosa de este molusco es comestible y apreciada por su agradable sabor.

Catán. Nombre que se da al **pejelagarto** del sureste, pez de agua dulce, común en ríos, lagunas y lugares costaneros, que por su hocico sumamente alargado recuerda un alfanje; es de color verdoso y sus escamas forman una especie de gruesa concha que lo recubre. La carne blanca y dura, tiene buen sabor. Se le atribuyen cualidades afrodisiacas.

Chabacano. Pequeño frutal (Prumus armeniaca) de la familia de las rosáceas, corteza rojiza y flores rosadas, así como su fruto, drupa comestible, amarillenta y oval, con hueso grande y duro. **Albaricoquero, albaricoque.**

Chilaquiles. Guiso que se prepara comúnmente con pedazos de tortillas de maíz fritos y después cocidos en una salsa espesa de chile y jitomate o tomate verde. Se suele aderezar con cebolla y queso.

Chile ancho. Clásico en la cocina mexicana, forma parte de moles y adobos diversos; de color pardo o rojo oscuro y, por lo general, poco picante, aunque existen numerosas variedades. Fresco y verde es el **chile poblano.**

Chile cascabel (cora). Chile seco que, en estado fresco, es el llamado **chile bolita**. Esférico, pequeño, de color rojo o guinda oscura, se aprovecha en adobos y salsas.

Chile guajillo. Se produce en casi todo el país, pero ofrece diferencias según el lugar. Fresco puede ser verde, amarillo o rojo. Suele consumirse seco –mide entre 5 y 11 cm – y presenta entonces un color sepia-rojizo; mientras más pequeño es más picoso.

Chile pasilla. Es un chile seco de color rojo oscuro, largo, muy picante. Se le llama también **achocolatado**. Hay diversas variedades. En estado fresco es el **chile chilaca**.

Chochas. Se designa así a las flores de palma (pita), cuyos pétalos se aprovechan en diversos guisados.

Gorda. Tortilla de maíz por lo general más gruesa y pequeña que las comunes (gorditas); tarda más en endurecerse.

Huatape. Guiso de camarón o pescado que se baña con un caldillo espeso preparado con masa y condimentos y al que se incorporan, por lo general, nopales y papas.

Hueva de lisa. Conjunto de huevos u ovas de estos peces mugiliformes, propios de mares templados y tropicales donde se desplazan en cardúmenes, y que se tiene en gran estima culinaria.

Jacubo (jacubes). En Tamaulipas suele designarse con este nombre a la cactácea conocida como órgano.

Jaiba. Crustáceo marino, semejante al cangrejo, pero con el carapacho menos convexo y más circular.

Jobo. Fruto de un árbol grande, corpulento, que es como una ciruela chica o un jocote grande, muy dulce.

Machaca. Carne de res, salada y puesta a secar al sol en grandes trozos, de los cuales se van cortando pedazos. Estos se golpean en el metate para suavizarlos y deshebrarlos. Por extensión, preparaciones de la carne hechas de manera semejante.

Mezquite (algarrobo). Árbol de las leguminosas que puede crecer a gran altura; tiene ramas dispersas, hojas espinosas y fruto en legumbres comprimidas. Es frecuente en tierras altas, aun áridas o arenosas, a orillas de las corrientes. Produce una goma parecida a la arábiga; sus hojas y frutos son buen forraje; las hojas tienen propiedades activas para curar oftalmias, etcétera.

Mixiote. Piel o epidermis de la penca del maguey. Se aprovecha para hornear o cocer carne por sus cualidades térmicas e impermeables.

Mole de olla. Platillo elaborado de modo que, en su propio caldo, se sirve la carne –por lo común, retazo con hueso – con elotes, verduras, chile y otros condimentos.

Moronga. Morcilla. Embutido de sangre cocida, con especias; platillo preparado con sangre cocida de res.

Ocra (quimbombó). De la familia de las malváceas (Hibiscus esculentus), es un arbusto anual de hasta 2 m de altura, con frutos cilíndricos de color verde, de 8 a 10 cm de largo por 2 de ancho, de contenido mucilaginoso y comestible. Es verdura gustada aunque, mayormente, de exportación. Se cultiva en Tamaulipas, Guerrero y Michoacán.

Pemol. Panecillo tostado de harina de maíz y manteca de puerco. La voz se emplea en plural.

Pico de gallo. Se llama así a una salsa preparada fundamentalmente con xoconostles, cebolla y chile.

Piloncillo (panela). Azúcar oscura, mascabado presentado por lo general en un pan en forma de cucurucho o cono truncado.

Pulque. Bebida alcohólica (ritual entre los aztecas), blanca y espesa, que se obtiene por fermentación del jugo de maguey o aguamiel. Se llama **pulque curado** al que se mezcla con jugo o pulpa de frutas o vegetales.

Sábalo. Pez cupleiforme de hasta 70 cm de longitud, aleta dorsal corta y librea verdosa. Propio del Atlántico y del Mediterráneo, penetra en los ríos para desovar.

Tomate de fresadilla. Se denomina así a un fruto silvestre parecido al tomate verde, pero más pequeño y con cáscara; **tomatillo.**

Xoconostle (soconostle). Variedad de tuna, agria, que se emplea en la confección de dulces en almíbar y como condimento e ingrediente de algunas salsas y platillos.

Esta obra fue impresa en el mes de septiembre de 2001
en los talleres de Litográfica Ingramex, S.A. de C.V.,
que se localizan en la calle de Centeno 162,
colonia Granjas Esmeralda, en la ciudad de México, D.F.
La encuadernación de los ejemplares se hizo
en los talleres de Dinámica de Acabado Editorial, S.A. de C.V.,
que se localizan en la calle de Centeno 4-B,
colonia Granjas Esmeralda, en la ciudad de México, D.F.